Von Ivan Illich liegen vor:

Im Rowohlt Verlag

Selbstbegrenzung
Eine politische Kritik der Technik

Die Nemesis der Medizin
Von den Grenzen des Gesundheitswesens

Im Rowohlt Taschenbuch Verlag

Schulen helfen nicht
Über das mythenbildende Ritual der
Industriegesellschaft
rororo sachbuch 6778

Die Entschulung der Gesellschaft
Entwurf eines demokratischen Bildungssystems
rororo sachbuch 6828

IVAN ILLICH

Fortschrittsmythen

Schöpferische Arbeitslosigkeit
oder
Die Grenzen der Vermarktung

Energie und Gerechtigkeit

Wider die Verschulung

*Deutsch
von Thomas Lindquist*

ROWOHLT

Die englische Originalausgabe von
«Schöpferische Arbeitslosigkeit oder Die Grenzen der Vermarktung»
erschien unter dem Titel «The Right to Useful Unemployment»
in der Reihe Open Forum des Verlages Marion Boyars, London; die
von «Energie und Gerechtigkeit» unter dem Titel «Energy and Equity»
in der Reihe Ideas in Progress des Verlages Calder & Boyars, London,
die deutsche Fassung kam 1974 in der Reihe rororo aktuell heraus.
«Wider die Verschulung» («The Alternative to Schooling»)
wird hier zum erstenmal vorgelegt

Umschlagentwurf von Werner Rebhuhn
Autorenfoto: The Guardian, London

Inhalt

Einleitung

In den vergangenen zehn Jahren habe ich eine Reihe von Essays über die industrielle Produktionsweise geschrieben und veröffentlicht. In dieser Zeit galt mein Interesse vorwiegend jenen Prozessen, an denen sich ablesen läßt, wie eine zunehmende Abhängigkeit von massenproduzierten Gütern und Dienstleistungen allmählich die für ein konviviales Leben notwendigen Bedingungen zerstört. Jeder dieser Essays untersucht einen bestimmten Bereich des wirtschaftlichen Wachstums und demonstriert dabei ein allgemeingültiges Gesetz: Sobald nämlich die industrielle Produktionsweise jenen Grad der Vorherrschaft erreicht, den ich als «radikales Monopol» bezeichne, werden unvermeidlich Gebrauchswerte zerstört. Diese Essays nun wollen aufzeigen, wie das industrielle Wachstum lediglich zur Modernisierung der Armut führt.

Modernisierte Armut tritt dann in Erscheinung, wenn die Intensität der Abhängigkeit vom Markt eine gewisse Schwelle erreicht. Subjektiv ist dies die Erfahrung eines frustrierenden Überflusses, wie sie bei Leuten eintritt, die durch ihr Angewiesensein auf den industriell produzierten Reichtum verstümmelt sind. Sie beraubt die von ihr Betroffenen ihrer Freiheit und Fähigkeit, autonom zu handeln, schöpferisch zu leben; sie beschränkt sie aufs Überleben im Kreislauf der Marktbeziehungen. Und gerade weil diese neue Ohnmacht so tief erfahren wird, läßt sie sich so schwer ausdrücken. So erleben wir zum Beispiel eine kaum rückgängig zu machende Verwandlung der Alltagssprache: Verben, die einstmals befriedigende Tätigkeiten bezeichneten, werden zunehmend durch Substantive verdrängt, die

7

nur noch zu passivem Konsum bestimmte Leistungspakete benennen: «lernen» wird zur Akkumulation von Wissenskapital. Dieser Vorgang reflektiert einen tiefgreifenden Wandel im Selbstbild des einzelnen wie der Gesellschaft. Und nicht nur dem Laien fällt es schwer, exakt auszudrücken, was er erlebt. Auch der wissenschaftliche Ökonom vermag eine Armut nicht zu erkennen, die seine konventionellen Instrumente nicht erfassen. Dennoch breitet die neue Mutante der Verelendung sich weiter aus. Das moderne Phänomen der Unfähigkeit, von den persönlichen Gaben des Menschen, den Gütern der Gemeinschaft und den Ressourcen der Umwelt autonomen Gebrauch zu machen, infiziert alle Bereiche des Lebens, wo eine von Experten geplante Ware einen kulturell geformten Gebrauchswert verdrängt. Die Möglichkeit, außerhalb des Marktes persönliche und soziale Befriedigung zu erfahren, wird dadurch vernichtet. So etwa bin ich arm, wenn der Gebrauchswert meiner Füße verlorengeht, weil ich in Los Angeles lebe oder im 30. Stock eines Wolkenkratzers arbeite.

Diese neue, Ohnmacht erzeugende Armut ist nicht zu verwechseln mit der wachsenden Kluft zwischen dem Konsum der Armen und dem der Reichen in einer Welt, wo die Grundbedürfnisse des Menschen zunehmend durch industrielle Waren geprägt – also nicht befriedigt, sondern überhaupt erst geweckt werden – sind. Diese Kluft ist die traditionelle Form der Armut in einer Industriegesellschaft, und entsprechend wird mit den konventionellen Formen des Klassenkampfes versucht, sie aufzuzeigen und zu verringern. Ferner unterscheide ich die modernisierte Armut von den sozialen Kosten in Form von Verschwendung und Abfällen, durch die eine stets wachsende Industrieproduktion die Umwelt belastet. Es ist klar, daß solche Formen der Umweltzerstörung der Belastung und Besteuerung die Menschen in ungleichem Maß betreffen. Entsprechend sind auch die Abwehrmittel gegen solche Verheerungen ungleich verteilt. Aber ähnlich wie die neuen Unterschiede im Zugang zu den Gütern der Gesellschaft, sind auch solche Ungerechtigkeiten in der Umlegung der sozialen Kosten lediglich Aspekte der industrialisierten Armut, für die sich ökonomische Indikatoren und eine objektive Verifikation finden lassen. Dies gilt aber nicht für die industrialisierte Ohnmacht, die sowohl die Reichen wie die Armen betrifft. Wo solche Armut herrscht, wird ein Leben ohne süchtigen Griff nach der Ware unmöglich oder kriminell – oder beides. Ohne Konsum sich zu behelfen, wird unmöglich, und nicht nur für den Durchschnittskonsumenten, sondern auch für den Armen. Alle Wohlfahrtsbemühungen, von sozialer Rehabilitation bis zur beruflichen Schulung, bleiben vergeblich. Die Freiheit, die eigene, individuelle Wohnung zu planen und zu zimmern, wird in Ländern wie den USA, Kuba oder Schweden zugunsten einer bürokratischen Versorgung mit standardisierten Wohneinheiten abgeschafft. Die Art, wie berufliche Qualifikationen und Kenntnisse, Baumaterialien, Gesetze und Kredite organisiert sind, trägt dazu bei, daß «Wohnen» nicht als Aktivität, sondern als Ware aufgefaßt wird. Ob das Produkt von einem Unternehmer oder einem Apparatschik geliefert wird – das Resultat ist letztlich das gleiche: die Ohnmacht des Staatsbürgers – unsere spezifisch moderne Form der Armut.

Wo immer wir in den Schatten des Wirtschaftswachstums geraten, sind wir als Menschen nutzlos, solange wir nicht an irgendeinem Arbeitsplatz oder mit dem Konsum beschäftigt sind. Der Versuch, ohne Kontrolle durch lizensierte Experten ein Haus zu bauen oder einen Knochen zu schienen, erscheint als anarchistische Anmaßung. Wir verlieren den Überblick über unsere Mittel, wir verlieren die Kontrolle über unsere Umweltbedingungen, unter denen diese Mittel anwendbar wären, wir verlieren den Geschmack an selbst-vertrauender Bewältigung äußerer Gefahren und innerer Ängste. Wie kommen im heutigen Mexiko Kinder zur Welt? Eine Entbindung ohne die Fürsorge von Experten ist mittlerweile undenkbar für jene Frauen, deren Männer einen regelmäßigen Job und daher Anspruch auf soziale Dienstleistungen haben, wie marginal und dürftig diese immer auch sein mögen. Sie bewegen sich in einem Kreislauf, wo die Produktion von Babies getreulich die Formen der Industrieproduktion reflektiert. Doch ihre Schwestern, die in den Slums der Armen oder in den Dörfern der Rückständigen leben, fühlen sich noch durchaus imstande, auf der eigenen Matte zu gebären. Sie wissen noch nicht, daß sie sich nach modernem Urteil der kriminellen Vernachlässigung ihres Kindes schuldig machen. Aber in dem Maß, wie von Experten geplante Gebärmodelle diese unabhängigen Frauen erreichen, werden Befähigung und Bedingungen zu autonomem Verhalten gestört.

Für die fortgeschrittene Industriegesellschaft bedeutet die Modernisierung der Armut, daß die Menschen ihr hilflos ausgeliefert sind und das Offenkundige nicht zu erkennen vermögen, solange es nicht durch irgendeinen Experten bestätigt ist – sei's der Fernsehmeterologe oder der Diplomerzieher. Organisches Leiden wird als unzulässige Bedrohung empfunden, solange es nicht in der Abhängigkeit vom Therapeuten medikalisiert ist; Nachbarn und Freunde fühlen sich fremd und verloren, solange nicht Fahrzeuge die trennende Distanz zwischen ihnen – die durch die Fahrzeuge überhaupt erst aufgerissen wurde – überbrücken. Kurz, die meiste Zeit sind wir ohne Kontakt mit unserer Welt, ohne Gesellschaft unserer Mitmenschen, ohne Empfindung unserer Gefühle.

Der Essay ‹Schöpferische Arbeitslosigkeit› ist ein Nachtrag zu meinem Buch ‹Tools for Conviviality›, das 1973 in Amerika und 1975 als ‹Selbstbegrenzung› in Deutschland erschienen ist. Solch ein Nachtrag ist angebracht, weil ich Veränderungen zu berücksichtigen habe, die im letzten Jahrzehnt sowohl in der ökonomischen Realität wie in meiner Wahrnehmung derselben eingetreten sind. Dabei verzeichne ich vor allem ein beachtliches Anwachsen der nichttechnischen, rituellen und symbolischen Faktoren unserer großen bürokratischen und technologischen Systeme und einen entsprechenden Verfall ihrer wissenschaftlichen, technischen und instrumentellen Glaubwürdigkeit. So war es etwa noch 1968 ein leichtes, den organisierten Widerstand der Laien gegen die Herrschaft der Experten als bloßen Rückfall in romantische, obskurantistische oder elitäre Phantasien abzutun. Eine vom gesunden Menschenverstand geleitete, basisdemokratische Beurteilung der technischen Systeme, wie ich sie damals skizzierte, mutete die politischen Führer der Bürgerinitiativen – und auch die «radikalen» Experten, die auf Grund ihrer Spezialkenntnis die Vormundschaft für die Armen beanspruchten – wohl kindisch oder rückschrittlich an. Die Reorganisation der spätindustriellen Gesellschaft auf Grund der von Experten definierten Bedürfnisse, Probleme und Lösungen war damals noch ein allgemein akzeptiertes Ideal und implizit in den ideologischen, politischen und juridischen Systemen enthalten, die einander ansonsten eindeutig, mitunter sogar heftig bekämpften.

Heute hat sich das Bild gewandelt. Ein Markstein der fortschrittlichen und aufgeklärten technischen Kompetenz ist die selbstbewußte Gemeinschaft der Nachbarschafts- oder Bürgergruppen, die sich der systematischen Analyse und konsequenten Durchleuchtung der ihnen von Agenten des Experten-Establishments vorgeschriebenen «Bedürfnisse», «Probleme» und «Lösungen» widmen. Noch in den sechziger Jahren hatte die Laienopposition gegen eine auf Expertenurteilen basierende Gesetzgebung den Anruch von antiwissenschaftlicher Bigotterie. Heute ist das Vertrauen der Laien in eine Politik, die ihre Maßnahmen auf Expertenurteile gründet, allerdings geschwunden. Heute bilden sich Tausende ihr eigenes Urteil und beteiligen sich unter hohen Kosten und ohne jede professionelle Bevormundung an Bürgeraktionen; durch persönliche, unabhängige Bemühungen verschaffen sie sich die wissenschaftlichen Informationen, die sie brauchen. Manchmal unter Gefahr für Leib und Leben, Freiheit und Ansehen, legen sie Zeugnis ab für eine neue, reife Auffassung von Wissenschaft. Sie wissen zum Beispiel, daß technisches Beweismaterial in ausreichender Qualität und Menge dafür spricht, sich gegen Atomkraftwerke, gegen die Vermehrung der Intensivstationen, gegen Bildungszwang und medizinisch-technische Eingriffe schon am Fetus aufzulehnen; auch die Konsequenzen der Psychochirurgie, der Elektroschockbehandlung oder der genetischen Manipulation sind einfach und klar genug, daß der Laie sie begreifen und demgemäß handeln kann.

Vor zehn Jahren war die Pflichtschule noch von mächtigen Tabus geschützt. Heute muß sie sich zunehmend verteidigen. Wissenschaftliche, marxistische und andere Ideologen geben sich als akademische Wissensakkumulatoren aus. Vor zehn Jahren zweifelte niemand am Mythos der Effizienz moderner medizinischer Institutionen. So etwa übernahmen die meisten Lehrbücher den Glauben, die Lebenserwartung der Erwachsenen nehme zu, die Krebsbehandlung verzögere den Tod, das Vorhandensein von Ärzten bewirke höhere Überlebensraten bei Kindern. Seit damals haben die Menschen ‹entdeckt›, was demographische Statistiken schon immer zeigten: die Lebenserwartung des Erwachsenen hat sich während der letzten Generationen nicht in sozial relevanter Weise verändert; in den meisten reichen Ländern ist sie heute niedriger als zur Zeit unserer

Großeltern und niedriger auch als in manchen armen Ländern. Vor zehn Jahren noch galten der allgemeine Zugang zur höheren Bildung, zur Erwachsenenbildung, die Versorgung mit Präventivmedizin und der Anschluß an Autobahnen als hoch prestigewertige Ziele. Heute sind die großen mythenschaffenden Rituale im Zusammenhang mit Erziehung, Transport, Gesundheitsversorgung und Urbanisierung schon zum Teil entmystifiziert. Noch aber sind sie nicht abgebaut.

Willkürpreise und wachsende Ungleichheit des Konsumniveaus sind zwar auch Aspekte der neuen Armut. Mein Interesse aber gilt hauptsächlich einer anderen Begleiterscheinung der Modernisierung – nämlich jenem Prozeß, durch den für fast alle Menschen Autonomie untergraben, Befriedigung abgestumpft, Erfahrung verflacht und Bedürfnisse frustriert werden. So etwa untersuche ich die überall in der Gesellschaft gegenwärtigen Hemmnisse des wechselseitigen Kontakts unter Menschen, die unvermeidliche Nebenfolgen des energieintensiven Transportwesens sind. Ich wollte jene Grenzen definieren, innerhalb deren Kraftfahrzeuge noch angemessen verwendbar sind, um den Kontakt der Menschen untereinander zu verbessern. Natürlich erkenne ich, daß hohe Geschwindigkeiten zur ungleichen Verteilung von Hetze, Lärm, Umweltbelastung und Privilegien führen. Aber mir geht es um etwas anderes. Meine Überlegungen kreisen um die negativen Internalitäten [nicht unmittelbar monetarisierte soziale Aktiva; d. Übers.] der Modernisierung – wie etwa die zeitraubende Beschleunigung, die krank machende Gesundheitsversorgung, die verdummende Erziehung. Die ungleiche Verteilung dieser Ersatz-Nutzen, oder die ungleiche Belastung durch ihre negativen Externalitäten [nicht unmittelbar monetarisierte soziale Passiva; d. Übers.] sind nur Nebenaspekte meiner grundsätzlichen Argumentation. Mir geht es um die direkten, spezifischen Auswirkungen der modernen Armut, um die Toleranz des Menschen gegenüber diesen Auswirkungen und um die Möglichkeit, dem neuen Elend zu entrinnen. Mit anderen teile ich das tiefe Verlangen nach mehr Gerechtigkeit. Ich bin absolut gegen die ungerechte Verteilung dessen, was gerechter Verteilung zugänglich wäre. Aber in den letzten Jahren fühlte ich mich gezwungen, die Ziele aller Vorschläge zur materiellen Umverteilung sorgfältig zu prüfen. Heute sehe ich meine Aufgabe noch klarer als damals, als ich anfing, über die kontraproduktive Mythenproduktion der Fortschrittsmythen zu sprechen und zu schreiben, die in allen spätindustriellen Gesellschaftsprojekten latent enthalten ist. Es war mein Ziel, jenen falschen Überfluß aufzuzeigen und anzuprangern, der *immer* ungerecht ist, weil er nur frustrieren kann. Von einer solchen Analyse ausgehend könnten wir die Theorie entwickeln, die geeignet wäre, eine gesellschaftliche Erneuerung einzuleiten, wie sie dem Menschen des 20. Jahrhunderts möglich wäre und anstünde.

In den letzten zehn Jahren hielt ich es für notwendig, immer wieder die Beziehung zwischen der Natur der Werkzeuge und der Auffassung von Gerechtigkeit zu untersuchen, wie sie in einer Gesellschaft vorherrscht, die diese benutzt. Dabei mußte ich stets einen Verfall der Freiheit in solchen Gesellschaften feststellen, in denen die Rechte des Menschen durch Experten gestaltet und verwaltet werden. Ich mußte abwägen zwischen dem Nutzen der neuen Werkzeuge, die die Warenproduktion steigern, und dem Nutzen jener nicht minder modernen, die die Schaffung von Gebrauchswerten erlauben; zwischen dem Anrecht auf massenproduzierte Waren, und den Freiheitsrechten, die eine befriedigende, schöpferische Selbstverwirklichung gestatten; zwischen entlohnter Arbeit und nützlicher Arbeitslosigkeit. Und in jeder Dimension der Nutzenrelation zwischen heteronomer Manipulation und autonomer Aktion stellte ich fest, daß wir die Sprache, die uns erlauben würde, letztere zu behaupten, erst mühsam zurückerobern müssen. Gewiß befürworte ich – genau wie jene, die ich mir als Leser wünsche – so eindeutig und klar eine radikal gerechte Verteilung von Gütern, Rechten und Arbeitsplätzen, daß ich es fast für überflüssig halte zu betonen, wie wichtig unser Kampf für diesen Aspekt der Gerechtigkeit ist. Viel wichtiger und schwieriger finde ich es aber, ihr notwendiges Komplement zu formulieren: eine Politik der Konvivialität. Diesen Terminus verwende ich in jenem technischen Sinn, wie ich ihn in ‹Selbstbegrenzung› geprägt habe. Dort bezeichnet das Wort den Kampf für eine gerechte Verteilung der Freiheit, Gebrauchswerte zu schaffen, und für die instrumentelle Materialisierung dieser Freiheit in Form einer absoluten Priorität für jene industriellen und wissenschaftlichen Güter und Dienstleistungen, die den Benachteiligten alle Macht geben, Gebrauchswerte zu schaffen und sich ihrer zu bedienen.

Konviviale Politik beruht auf der Einsicht, daß Güter und Arbeitsplätze in einer modernen Gesellschaft nur dann gerecht verteilt und in Freiheit genossen werden können, wenn sie durch politische Vorkehrungen eingeschränkt sind. Exzessiver Wohlstand und lebenslange formale Arbeitsverhältnisse, mögen sie noch so gut verteilt sein, zerstören die sozialen und kulturellen Umweltbedingungen einer ebenso produktiven Freiheit. Wenn *Bits* und *Watt* (Informations- bzw. Energieeinheiten) in massenproduzierte Konsumwaren verpackt werden, und zwar in Mengen, die eine gewisse Schwelle überschreiten, so stellt dies unvermeidlich einen verelenden Wohlstand dar. Solch verelender Wohlstand ist entweder zu knapp, um von allen geteilt zu werden, oder er zerstört die Freiheit und die Rechte der Schwächeren. In jeder meiner bisherigen Arbeiten habe ich versucht, einen Beitrag zu jenem politischen Prozeß zu leisten, durch den die für die Gesellschaft kritischen Schwellen der Bereicherung von wachsamen Bürgern erkannt und in für die ganze Gesellschaft verbindliche Wachstumsgrenzen übersetzt werden können.

I
Schöpferische Arbeitslosigkeit

oder
Die Grenzen der Vermarktung

Noch vor fünfzig Jahren waren die meisten Wörter, die ein Amerikaner vernahm, persönlich an ihn als Individuum gerichtet. Nur manchmal erreichte Sprache ihn als undifferenziertes Mitglied einer Menge – im Klassenzimmer, in der Kirche, auf dem Rennplatz oder im Zirkus. Die Wörter waren wie handgeschriebene und gesiegelte Briefe, nicht wie der Schund, der heute unsere Post überschwemmt. Wörter, die sich um die Aufmerksamkeit des Menschen bemühen, sind heute selten geworden. Images, Ideen, Gefühle und Meinungen, in technisch geplanten Massen durch die Medien verpackt und ausgeliefert, attackieren unsere Sensibilität regelmäßig, rund um die Uhr. Zwei Tatsachen werden heute evident: Erstens, was mit der Sprache geschieht, fügt sich ins Muster eines stets wachsenden Bereichs der Bedürfnisbefriedigungen; zweitens, diese Verdrängung konvivialer Mittel durch manipulierte und manipulierende Industriewaren ist wahrhaft universell, und vor ihr sind der New Yorker Lehrer, der chinesische Kommunebauer, der Bantuschüler und der brasilianische Sergeant *gleich*. In diesem Nachtrag zu meinem Buch ‹Selbstbegrenzung› habe ich also drei Dinge vor: erstens, ich will den Charakter einer waren- und marktintensiven Gesellschaft beschreiben, in der die Überfülle an Waren die autonome Erzeugung von Gebrauchswerten lähmt; zweitens, ich will aufzeigen, welche verborgene Rolle die Experten in dieser Gesellschaft spielen, indem sie deren Bedürfnisse prägen; drittens, ich will Illusionen aufdecken und Strategien vorschlagen, um die Macht der Experten zu brechen, die unsere Abhängigkeit vom Markt zu verewigen droht.

Mit dem Wort Krise bezeichnen wir heute den Augenblick, da Ärzte, Diplomaten, Bankiers und alle möglichen Sozialtechniker einschreiten und die Freiheitsrechte der Menschen suspendiert werden. Wie Patienten, so haben auch Nationen ihre Krisen. Krisis, das griechische Wort für Entscheidung oder Wendepunkt, bezeichnet heute eine ominöse, aber feststellbare Bedrohung, gegen die Arbeitskräfte und Management aufgeboten werden können. Intensivtherapie für die Sterbenden, bürokratische Bevormundung für die Opfer der Diskriminierung, Kernspaltung für den nimmersatten Energieverbrauch der Gesellschaft – das sind die typischen Reaktionen. So verstanden ist Krisis stets eine gute Sache für Funktionäre und Kommissare, besonders für die Parasiten, die von den Nebenfolgen des Wachstums von gestern leben: Erzieher, die sich an der Entfremdung nähren; Ärzte, die an gesundheitszerstörenden Arbeits- und Freizeitbedingungen gesunden; Politiker, die an der Verteilung von Wohlfahrtstöpfen gedeihen, die zuvor von den hilfsbedürftigen Empfängern finanziert wurden. Die Krise, als Schrei nach mehr Benzin aufgefaßt, gibt dem Autofahrer nicht nur mehr PS an die Hand, während sie die Beifahrer im Sicherheitsgurt stranguliert; sie rechtfertigt auch die räuberische Ausbeutung von Raum, Zeit und Ressourcen zum Nutzen des motorisierten Verkehrs und zum Schaden der Menschen, die ihre Füße gebrauchen wollen.

Aber das Wort Krise muß nicht diese Bedeutung haben. Es muß nicht kopflose Zuflucht zu eskalierter Verwaltung und Manipulation bedeuten. Vielmehr kann es den Augenblick der Entscheidung bezeichnen, jenen wunderbaren Moment, da die Menschen sich plötzlich ihrer selbst auferlegten Ketten bewußt werden – und der Möglichkeit eines ganz anderen Lebens. Und dies ist die Krise, die Entscheidung, vor der die Industriegesellschaften heute stehen.

Auf der Suche nach einem Ausweg

Binnen weniger Jahrzehnte ist die Welt zu einem Einheitsamalgam zusammengeschrumpft. Die menschlichen Reaktionen auf alltägliche Vorkommnisse sind standardisiert. Obwohl Sprache und Dinge noch differenzierter erscheinen, schließen die Menschen sich Tag für Tag einer Mehrheit an, die nach dem Rhythmus ein und derselben Megamaschine marschiert. Der Lichtschalter neben der Tür verdrängte Dutzende einstiger Möglichkeiten, ein Feuer, eine Kerze, eine Laterne zu entzünden. Binnen zehn Jahren hat die Zahl der Knöpfchendrücker der Welt sich vervielfacht: Wasserspülung und Flauschpapier sind mittlerweile unentbehrliche Bedingungen körperlichen Wohlbefindens. Licht ohne hochampèrige Stromnetze und Hygiene ohne Kleenex erscheint immer mehr Menschen als Armut. Die Erwartungen steigen, während das hoffnungsvolle Vertrauen der Menschen auf ihr persönliches Wollen und Können in anderen Belangen rapide verfällt.

Der mal einschläfernde, mal schrill lärmende Angriff der Medien auf unser Bewußtsein reicht tief ins Innere der Kommune, des Dorfes, der Schule. Das Wortgeklapper von Redakteuren und Aufsagern programmierter Texte pervertiert Tag für Tag die Wörter einer gesprochenen Sprache zu Bausteinen konsumfertig verpackter Botschaften. Heute muß man schon entweder von aller Außenwelt isoliert oder ein behüteter, wohlhabender Dropout sein, um es seinen Kindern zu ermöglichen, in einer Umwelt zu spielen, wo sie Menschen sprechen hören, nicht Superstars, Lautsprecher und Belehrer. Überall auf der Welt erleben wir die rasche Verbreitung des disziplinierten Quietismus, der das Publikum, die Klienten, die Konsumenten charakterisiert. Die Standardisierung des menschlichen Handelns nimmt rapide zu.

Heute wird klar, daß die meisten Gesellschaften der Welt genau vor dieser kritischen Frage stehen: entweder bleiben die Menschen Nummern in der konditionierten Masse, die nach noch mehr Abhängigkeit drängt (und damit wilde Schlachten um die Drogenrationen entfesselt, um ihre Sucht zu stillen), oder sie werden den Mut finden, der einzig Rettung aus der Panik verheißt; nämlich stehen zu bleiben und nach einem anderen Ausgang zu suchen, statt sich ins allgemeine Gedränge vor der vorgeschriebenen Tür zu stürzen. Die meisten aber, wenn man ihnen erzählt, daß Bolivianer, Kanadier und Ungar allesamt vor der gleichen fundamentalen Entscheidung stehen, wenden sich nicht nur gelangweilt ab, sondern protestieren tief empört. Diese Vorstellung erscheint ihnen nicht nur närrisch, sondern schokkierend. Sie sind nicht imstande, die Merkmale jener neuen, bitteren Entbehrung zu erkennen, die hinter dem Hunger des Indianers auf dem Altiplano, der Neurose des Arbeiters in Amsterdam und dem korrupten Zynismus des Bürokraten in Warschau steht.

Unterwegs in die Warenkultur

Die Entwicklung hat in allen Gesellschaften die gleichen Folgen: jedermann ist gefangen in einem Netz der Abhängigkeit von Waren, die von gleichförmigen Maschinen, Fabriken, Kliniken, Fernsehstudios und Intelligenz-Pools ausgestoßen werden. Um diese Abhängigkeit zu befriedigen, muß mehr vom Immergleichen produziert werden: standardisierte, geplante Waren, für immer neue Konsumenten bestimmt, die von den Agenten der Experten geschult werden, das zu begehren, was ihnen angeboten wird. Diese Produkte – ob materielle Güter oder immaterielle Dienste – sind industrielle Massenware. Ihr zudiktierter monetärer Warenwert wird in unterschiedlichem Verhältnis durch den Staat und den Markt bestimmt. Die verschiedenen Kulturen werden zu schalen Residuen eines traditionellen Verhaltensstils. Einheitstünche über einem weltweiten Ödland: ein unfruchtbares Terrain, verwüstet durch die Maschinerie von Produktion und Konsum. An den Gestaden des Nil wie an den Ufern der Seine haben die Leute das Melken verlernt, weil das weiße Zeug aus dem Laden, aus dem Supermarkt kommt. Dank strengerer Bestimmungen zum Verbraucherschutz ist es in Frankreich weniger giftig als in Mali. Ja, heute erhalten mehr Babies Kuhmilch, aber die Brüste der reichen wie der armen Mütter vertrocknen. Mit dem ersten Schrei des neuen Erdenbürgers nach der Flasche ist der süchtige Konsument geboren: wenn der Organismus erst darauf trainiert ist, nach Milch aus der Tüte zu verlangen und sich von der Brust abzuwenden, die dadurch verkommt. Das autonome, schöpferische Handeln des Menschen, das notwendig wäre, um die Welt des Menschen erblühen zu lassen, verdorrt in Atrophie. Dächer aus Schindeln oder Stroh, aus Ziegeln oder Schiefer werden ersetzt durch Beton für die wenigen und Wellblech für die vielen. Weder die Hindernisse des Urwalds noch die Vorurteile der Ideologie konnten die Armen und die Sozialisten davon abhalten, auf die Pisten der

Reichen zu drängen – um sich motorisiert in eine Welt transportieren zu lassen, wo der Ökonom den Priester im Amt ersetzt. Die Münze stampft alle lokalen Schätze und Idole ein. Das Geld entwertet, was es nicht quantitativ bewerten kann. Die Krise ist also für alle die gleiche: die Wahl zwischen mehr oder weniger Abhängigkeit von industriellen Waren. *Mehr* Abhängigkeit bedeutet die schnelle, endgültige Zerstörung von Kulturen, die einst die Kriterien für befriedigende Subsistenzaktivitäten bestimmten. *Weniger* bedeutet die vielfältige Blüte von Gebrauchswerten in Kulturen von hoher Aktivität. Obwohl kaum vorstellbar für diejenigen, die sich bereits ans Leben im Supermarkt gewöhnt haben – eine Einrichtung, die sich nur dem Namen nach von einer Irrenanstalt unterscheidet –, ist die Entscheidung für arm und reich im wesentlichen die gleiche.

Die spätindustrielle Gesellschaft organisiert das Leben um die Waren herum. Unsere marktintensiven Gesellschaften messen den materiellen Fortschritt an Hand der zunehmenden Menge und Vielfalt der produzierten Waren. Und wie aufs Stichwort aus diesem Sektor bewerten wir den sozialen Fortschritt danach, wie gerecht oder ungerecht der Zugang zu diesen Waren verteilt ist. Ökonomie wird zur Propaganda für den allgemeinen Sieg der Warenproduzenten. Der Sozialismus verkommt zum Kampf gegen eine nicht ganz so reibungslose Warendistribution und der Wohlfahrtsstaat setzt öffentliches Wohl mit Überfluß gleich – dem demütigenden Überfluß der Armen. Die Kosten für einen Tag überwachten Sklavenlebens oder organisierter Zerstörung in einem städtischen Krankenhaus oder Gefängnis in den USA würden ausreichen, um eine indische Familie einen Monat lang zu ernähren.

Durch die Mißachtung all jener Arten von Nutzen, die nicht mit einem Preisschildchen versehen sind, hat die Industriegesellschaft ein urbanes Milieu geschaffen, das für Menschen unbewohnbar ist, es sei denn, sie verkonsumierten tagtäglich ihr eignes Körpergewicht in Metallen und Brennstoffen – eine Welt, in der das dauernde Bedürfnis nach Schutz vor den ungewollten Folgen von noch mehr Dingen und Befehlen in immer tiefere Diskriminierung, Ohnmacht und Frustration führt. Solange die ökologische Bewegung am Establishment orientiert ist, kann sie diesen Trend nur verstärken; sie lenkt die Aufmerksamkeit auf mangelhafte industrielle Technologien und bestenfalls auf die Ausbeutung der Industrieproduktion durch Privateigentümer. Sie fragt nach der Ausplünderung der natürlichen Ressourcen, nach der Belastung der Umwelt durch Abfall und Schmutz, nach der Nettoverteilung der Macht. Aber selbst wenn solche Phänomene mit Preisschildchen versehen werden, um die Auswirkungen auf die Umwelt, die Schäden der Verschwendung oder die Kosten der gesellschaftlichen Polarisierung zu beziffern, wird damit noch nicht erkennbar, daß die Arbeitsteilung, die Multiplikation der Waren und die Abhängigkeit alles, was die Menschen einstmals aus eigener Kraft taten oder schufen, gewaltsam durch standardisierte Stapelwaren ersetzt.

Seit nunmehr zwei Jahrzehnten sterben jährlich etwa fünfzig Sprachen oder Idiome aus. Die Hälfte all derer, die noch 1950 gesprochen wurden, überleben nur als Themen für Dissertationen. Und die verbliebenen einzelnen Sprachen, die Zeugnis ablegen könnten für die unvergleichbar verschiedenen Arten, die Welt zu sehen, zu nutzen und zu genießen, klingen immer ähnlicher. Das Bewußtsein wird allenthalben von importierten Markennamen und Parolen überschwemmt, die von internationalen Lieferanten verbreitet werden. Aber selbst jene, die sich um den Verlust der kulturellen und genetischen Vielfalt, um die Vermehrung langfristig aktiver Isotope sorgen, bemerken nicht die irreversible Erschöpfung von Fähigkeiten, Überlieferungen und Stilformen. Und diese progressive Verdrängung *nützlicher*, aber nicht *marktbarer* Werte durch industrielle Güter und Dienste ist das gemeinsame Ziel aller politischen Fraktionen und Regimes, die einander sonst heftig bekämpfen.

Dieser Wandel erfaßt immer größere Teile unseres Lebens, und das Leben selbst wird beinah gänzlich vom Konsum der auf dem Weltmarkt verkauften Waren abhängig. Die USA korrumpieren ihre Farmer mit manipulierten Agrarpreisen, um ein Regime mit Getreide beliefern zu können, das sich zunehmend durch seine Fähigkeit, seine Bevölkerung mit immer mehr Getreide versorgen zu können, zu legitimieren versucht. Gewiß, die Regime in Ost und West verteilen ihre Ressourcen unterschiedlich: hier durch die Weisheit der Marktpreise, dort durch die Weisheit der Planer. Aber der politische Gegensatz zwischen den Verfechtern alternativer Verteilungsmethoden maskiert nur die gleichermaßen rücksichtslose Verachtung aller Fraktionen und Parteien für Menschenwürde und Freiheit.

Die Energiepolitik ist ein gutes Beispiel dafür, daß die Weltbilder der selbstberufenen sozialistischen und der sogenannten kapitalistischen Anhänger des Industriesystems zutiefst identisch sind. Es gibt kaum eine herrschende Elite oder sozialistische Opposition, die sich eine wünschbare Zukunft vorstellen könnte, die auf einem um etliche Größenordnungen geringeren Energieverbrauch pro Einwohner beruhte, als er heute in Europa vorherrscht. Alle bestehenden politischen Parteien beharren auf der Notwendigkeit einer energieintensiven Produktion – und sei es mit chinesischer Disziplin –, während sie nicht begreifen, daß die dementsprechende Gesellschaft den Menschen weiterhin den freien Gebrauch ihrer Gliedmaßen verwehren wird. Hier sind es Limousinen, dort Busse, die den Radfahrer von der Straße drängen. Alle Staaten erstreben das Ideal einer total in die Produktion integrierten Arbeitnehmerschaft, und sie wollen nicht erkennen, daß Jobs auch den *Gebrauchswert arbeitsfreier Zeit* zerstören. Sie alle fordern eine objektivere, umfassendere Definition der Bedürfnisse des Menschen durch Experten und sind blind gegen die daraus folgende Enteignung des Lebens.

Heute sind am Gebrauchswert orientierte Theorien, mit deren Hilfe die durch die bestehenden Wirtschaftsordnungen verursachten sozialen Kosten sich analysieren lassen, gewiß nicht rar. Sie werden von zahlreichen Außenseitern vorgeschlagen, die radikale Technologie, Ökologie, neue gemeinschaftliche Lebensformen als Maßstäbe eines menschlichen Lebens bestimmen. Um die Auseinandersetzung mit ihren Theorien zu vermeiden, hält man ihnen das häufige Scheitern ihrer Experimente im persönlichen Lebensbereich entgegen und übertreibt es entsprechend. Genau wie der legendäre Inquisitor, der sich weigerte, durch Galileis Fernrohr zu blicken, weigern sich die modernen Ökonomen, eine Analyse zur Kenntnis zu nehmen, die den konventionellen Mittelpunkt ihres ökonomischen Systems verrücken könnte. Andere analytische Instrumente würden sie zu der Erkenntnis zwingen, daß die nicht marktbaren Gebrauchswerte im Mittelpunkt jeder langfristig lebensfähigen Kultur stehen. Realistisch betrachtet, haben Waren also nur insofern einen gesellschaftlichen Wert, als sie die weitere Ausbreitung von Gebrauchswerten fördern. Was aber einzig anerkannt wird, das ist der meßbare Output von öffentlichen oder privaten Unternehmen und nicht das, was die Leute aus eigener Kraft und mit Genuß tun oder schaffen könnten. Folglich verwandeln die Gesellschaften sich in gigantische Nullsummenspiele, monolithische Verteilungssysteme, bei denen jeder Gewinn und jeder Genuß des einen ein Verlust und eine Bürde für den anderen ist.

Dabei wurden zahllose Infrastrukturen zerstört, in denen die Menschen ihr Leben meisterten, spielten, aßen, Freundschaften schlossen und liebten. Ein paar Jahrzehnte sogenannter Entwicklung reichten aus, um traditionelle Kulturformen von der Mandschurei bis Montenegro zu demontieren. Vor dieser Zeit ermöglichten es diese Strukturen den Menschen, die meisten ihrer Bedürfnisse in Form tätiger Subsistenz zu befriedigen. Seither ersetzte Plastik die Töpferei, kohlensäurehaltige Getränke ersetzten das Wasser, Valium ersetzte den Kamillentee, Schallplatten ersetzten die Gitarre. In aller Geschichte war der zuverlässigste Maßstab für gute Zeiten jener Anteil der verzehrten Lebensmittel, die auf dem Markt gekauft werden mußten. In guten Zeiten bezogen die meisten Familien den größten Teil ihrer Nahrung aus dem, was sie selbst anbauten oder über ein Netz von Geschenkbeziehungen erhielten. Noch bis spät ins 18. Jahrhundert wurden 99 Prozent aller Nahrungsmittel der Welt in einem Umkreis erzeugt, den der Verbraucher von seinem Kirchturm oder Minarett her überblicken konnte. Aus alten Gesetzen, die festlegten, wieviel Hühner und Schweine innerhalb der Stadtmauern gehalten werden durften, ersehen wir, daß – abgesehen von einigen großen urbanen Siedlungen – mehr als die Hälfte aller verzehrten Nahrungsmittel auch innerhalb der Stadt produziert wurden. Vor dem Zweiten Weltkrieg wurden weniger als 4 Prozent aller verzehrten Nahrungsmittel von außerhalb in die Region transportiert, und diese Importe beschränkten sich weitgehend auf die elf Weltstädte, die damals nicht mehr als zwei Millionen Einwohner hatten. Heute können 40 Prozent aller Menschen nur überleben, weil sie an interregionale Märkte angeschlossen sind. Die Vorstellung einer Zukunft mit einem stark reduzierten Kapital- und Güterweltmarkt ist heute ebenso tabu wie das Bild einer modernen Welt, in der aktive Menschen moderne, konviviale Werkzeuge zu gebrauchen, um eine Fülle von Gebrauchswerten zu schaffen, die sie vom Konsum befreien könnten. In diesen Verhältnissen reflektiert sich die Überzeugung, als könnten nützliche Aktivitäten, in denen die Menschen ihre Bedürfnisse ausdrücken und befriedigen, unendlich durch standardisierte Güter und Dienstleistungen ersetzt werden.

Modernisierung der Armut

Jenseits einer gewissen Schwelle führt die Vermehrung der Waren zur Ohnmacht – zur Unfähigkeit, die eigene Nahrung zu erzeugen, zu singen oder ein eigenes Haus zu bauen. Leid und Lust der menschlichen Existenz werden zum schrulligen Privileg, das einigen Reichen vorbehalten bleibt. Bevor Kennedy seine Allianz für den Fortschritt begründete, gab es in Acatzingo, wie in den meisten mexikanischen Dörfern dieser Größe, vier Musikantengruppen, die für ein Glas Wein aufspielten und eine Bevölkerung von achthundert Menschen unterhielten. Heute erdrücken die über Lautsprecher dröhnenden Schallplatten und Radios die lokalen Talente. Hin und wieder veranstaltet man in einer nostalgischen Anwandlung eine Sammlung, um an einem besonderen Feiertag ein paar Dropouts von der Universität einzuladen, damit sie die alten Lieder singen. An dem Tag, als Venezuela das Recht jedes Bürgers auf «Wohnung», und zwar als Ware verstanden, gesetzlich verankerte, stellten drei Viertel aller Familien fest, daß ihre selbstgebauten Behausungen dadurch zu Ställen degradiert wurden. Außerdem, und da liegt der springende Punkt, wurde das Selbstbauen rechtlich benachteiligt. Jetzt war es legal nicht mehr möglich, ohne Vorlage der Pläne eines akkreditierten Architekten mit dem Hausbau zu beginnen. Brauchbare Abfälle und Schrott aus Caracas, die bis dahin wiederverwendet wurden und ein hervorragendes Baumaterial abgaben, verursachten jetzt Probleme der Abfallbeseitigung. Der Mann, der sein eigenes Dach über dem Kopf baut, wird als Abweichler verachtet, der sich weigert, mit der lokalen *pressure group* von Lieferanten massenproduzierter Wohneinheiten zu kooperieren. Auch wurden zahllose Bestimmungen erlassen, die seinen Einfallsreichtum als illegal, ja sogar kriminell brandmarken. Dieses Beispiel zeigt, daß als erste die Armen zu leiden haben, sobald eine neue Ware eine der traditionellen Subsistenztätigkeiten blockiert. Die «schöpferische Arbeitslosigkeit» der Unbeschäftigten wird der Expansion des Arbeitsmarktes geopfert. «Wohnen» als selbstgewählte Aktivität wird, wie jedes andere Recht auf nützlich verwandte Freizeit, zum Privileg einiger abweichender, oft müßiger Reicher.

Die Sucht nach lähmendem Überfluß, sobald sie eine Kultur erfaßt, erzeugt die «modernisierte Armut». Dies ist eine Form von gesellschaftlichem Unwert, die unausweichlich mit der allgemeinen Ausbreitung der Waren verbunden ist. Dieser sinkende Grenznutzen der industriellen Massenprodukte ist der Aufmerksamkeit der Ökonomen entgangen, weil er mit Hilfe ihrer Meßverfahren nicht feststellbar ist; und der Grenznutzen der sozialen Dienstleistungen entzog sich ihnen, weil er nicht operationalisierbar ist. Die Ökonomen verfügen über kein geeignetes Kriterium, um eine Befriedigung, für die es kein Markt-Äquivalent gibt, in ihre Kalkulationen einzubeziehen. Die heutigen Wirtschaftler sind blind gegenüber dem Hauptresultat aller modernen Systeme – ganz gleich, ob Ost oder West: nämlich der Abwertung der individuell-persönlichen Fähigkeit, etwas zu tun oder zu schaffen, die der Preis jedes zusätzlichen Quantums an Warenüberfluß ist.

Die Existenz und der besondere Charakter der modernisierten Armut blieben – sogar in der Alltagskonversation – verborgen, solange diese nur die Armen betraf. Als die Entwicklung oder Modernisierung die Armen erreichte – die bis dahin zu überleben wußten, obgleich sie von der Marktwirtschaft ausgeschlossen waren –, wurden diese systematisch gezwungen, dadurch zu überleben, daß sie sich in ein Wirtschaftssystem einkauften, das für sie immer und unvermeidlich bedeutete, sich mit den Abfällen des Marktes begnügen zu müssen. Indianer in Oaxaca, die vordem keinen Zugang zu Schulen hatten, werden jetzt in Schulen rekrutiert, nur um sich Zeugnisse zu «verdienen», die nichts anderes als ihre Inferiorität gegenüber der Stadtbevölkerung bestätigen. Außerdem – und dies ist wieder der springende Punkt – können sie sich ohne dieses Papier nicht einmal mehr im Baugewerbe verdingen. Die Modernisierung der «Bedürfnisse» schafft immer eine zusätzliche Diskriminierung der Armut.

Die modernisierte Armut ist heute eine allgemeine Erfahrung und ausgenommen sind davon vielleicht nur jene, die reich genug sind, um im Luxus als Dropouts zu leben. Und während ein

Aspekt des Lebens nach dem anderen von technisch geplanten Angeboten abhängig wird, entgehen nur die wenigsten der immer wiederkehrenden Erfahrung erneuter Ohnmacht. Der amerikanische Durchschnittskonsument wird täglich von Hunderten Annoncen bombardiert, und er reagiert darauf zumeist negativ. Sogar gutbetuchte Käufer machen mit jeder erworbenen Ware erneut die Erfahrung ihres schwindenden Nutzens und ihrer rapiden Entwertung. Sie argwöhnen, irgend etwas von zweifelhaftem Wert erworben zu haben, das sich gar bald als nutzlos, womöglich als gefährlich erweisen könnte; etwas, das jedenfalls den Erwerb immer teureren Zubehörs verlangt. Auch reiche Käufer organisieren sich: meist beginnen sie mit der Forderung nach Qualitätskontrolle, und nicht selten landen sie bei der Konsumverweigerung. Hinter den urbanen Fassaden von New York und Chicago schalten sich Slumbewohner von der Versorgung durch öffentliche Dienste und Sozialarbeiter ab, und Hinterwäldler in Kentucky pfeifen auf die Schulfibeln. Reiche wie arme sind beinah bereit, die neue Form *frustrierenden* Wohlstands in der weiteren Expansion einer marktintensiven Kultur klar zu erkennen. Im Spiegel der Armut spüren auch die Reichen ihre eigene Not. Im Augenblick aber haben diese ersten Anzeichen sich noch nicht über einen gewissen Romantizismus hinaus entwickelt.

Die Ideologie, die Fortschritt mit Überfluß gleichsetzt, beschränkt sich nicht auf die reichen Länder. Die gleiche Ideologie zerstört nicht marktbare Aktivitäten auch in Gebieten, wo noch bis vor kurzem die meisten Bedürfnisse in einem Leben der Subsistenz befriedigt wurden. So zum Beispiel schienen die Chinesen – inspiriert durch ihre eigene Tradition – bis vor kurzem bereit und auch in der Lage, technischen Fortschritt anders zu definieren. Es sah so aus, als optierten sie für das Fahrrad und gegen den Düsenverkehr. Lokale Selbstbestimmung galt ihnen offenbar als Ziel eines erfinderischen Volkes, nicht als Mittel der nationalen Verteidigung. 1977 aber verherrlicht ihre Propaganda die industrielle Kapazität Chinas, die in der Lage sei, mehr Gesundheit, mehr Erziehung, mehr Wohnungen und mehr Wohlfahrt zu liefern – zu geringeren Kosten. Jetzt erfüllen die Kräuter im Arzneienkorb des Barfußarztes und die arbeitsintensiven Produktionsmethoden nur noch eine taktische Funktion.

Wie in den übrigen Teilen der Welt nährt auch hier die heteronome, das heißt außengeleitete Produktion von begehrten Waren, die für anonyme Konsumentenkategorien standardisiert sind, unrealistische und letzten Endes frustrierende Erwartungen. Außerdem korrumpiert dieser Prozeß unvermeidlich das Vertrauen der Menschen auf ihre eigenen Fähigkeiten und die ihrer Nachbarn. China ist nur das jüngste Beispiel dafür, wie die typisch westliche Version der Modernisierung durch intensive Abhängigkeit vom Markt eine traditionale Gesellschaft erfaßt – ein Vorgang, dessen irrationalstes Extrem der Kargo-Kult ist.

Die Vermarktung der Bedürfnisse

In den traditionellen wie in den modernen Gesellschaften hat sich binnen sehr kurzer Zeit ein bedeutsamer Wandel vollzogen: die Mittel der Bedürfnisbefriedigung haben sich radikal verändert. Der Motor läßt den Muskel verkümmern, der Unterricht stumpft die selbstbewußte Neugier ab. Folglich haben Bedürfnisse und Mangel eine Eigenschaft gewonnen, für die es kein historisches Beispiel gibt. Zum erstenmal ist Bedürfnis nahezu gleichbedeutend mit Ware. Solange die meisten Menschen noch nach Belieben überall hingingen, fühlten sie sich hauptsächlich dann eingeschränkt, wenn ihre Freiheit beschränkt wurde. Heute, da sie für ihre Fortbewegung auf Transportmittel angewiesen sind, fordern sie nicht Freiheit, sondern ihr Recht auf Reisekilometer. Und in dem Maß, wie immer mehr Fahrzeuge immer mehr Menschen solche «Rechte» verleihen, wird die Freiheit, auf eigenen Füßen zu laufen, durch die Gewährung dieser Rechte abgebaut und als obskur verschrien. Und die meisten Menschen richten ihre Wünsche entsprechend aus. Sie können sich Freiheit vom universellen Passagierdasein gar nicht mehr vorstellen – die Freiheit des modernen Menschen in einer freien Welt, sich aus eigener Kraft fortzubewegen.

Diese starre Interdependenz von Bedürfnissen und Markt wird legitimiert unter Berufung auf Expertisen einer Elite, deren Wissen per definitionem nicht Sache der Allgemeinheit sein kann. Ökonomen rechter wie linker Observanz wollen das Publikum davon überzeugen, daß die Vermehrung der Arbeitsplätze von mehr Energie abhängig sei; sie Erzieher wollen die Öffentlichkeit davon überzeugen, daß Recht, Ordnung und Produktivität auf mehr Unterricht angewiesen seien; Gynäkologen behaupten, daß die Lebensqualität des Säuglings von ihrer Mitwirkung bei der Geburt abhängig sei. Diesen Sachverhalt veranschaulicht das Beispiel einer Frau, die mir den Hergang der Geburt ihres dritten Kindes erzählte. Nach zwei Geburten fühlte sie sich einigermaßen kompetent und erfahren. Sie war in der Klinik und spürte, daß das Kind kam. Sie rief eine Krankenschwester herbei, aber diese, statt ihr zu helfen, rannte nach einem sterilen Handtuch und drückte den Kopf des Babies in den Uterus zurück. Die Schwester befahl der Mutter, mit dem Pressen aufzuhören, weil «der Doktor noch nicht da» sei. Die nahezu universelle Verbreitung einer marktintensiven Weltwirtschaft kann nicht wirksam in Frage gestellt werden, solange die Immunität der Eliten, die den Nexus zwischen Ware und Befriedigung legitimieren, nicht aufgehoben ist.

Die Entscheidung *für* politisches Handeln muß heute eine *gegen* das Management der Experten sein. Die modernen Gesellschaften, ob reich oder arm, können sich in zwei entgegengesetzte Richtungen weiterbewegen: Sie können sich – gleichsam in einer *Bill of Goods*, die mehr Sicherheit, weniger Vergeudung und bessere Verteilung garantieren würde – zum Anspruch aller auf Waren bekennen und damit ihre Abhängigkeit vom Massenkonsum weiterhin intensivieren. Oder sie können das Verhältnis zwischen Bedürfnissen und Befriedigung völlig neu interpretieren. Mit anderen Worten, die Gesellschaften können ihre marktintensiven Wirtschaftssysteme beibehalten und lediglich das äußere Design von deren Output verändern – oder sie können ihre Abhängigkeit von Waren verringern. Der letztgenannte Weg führt zum Abenteuer, das darin besteht, neue Lebensbedingungen zu imaginieren und zu schaffen, unter denen Individuen und Gemeinschaften ganz neue, moderne Werkzeuge entwickeln und gebrauchen könnten, die es ihnen ermöglichen, einen stets wachsenden Teil ihrer Bedürfnisse direkt und unmittelbar zu formulieren und zu befriedigen.

Der erstgenannte Weg bedeutet eine weitere Gleichsetzung des technischen Fortschritts mit vermehrten Waren. Die bürokratischen Sachwalter eines egalitären Ethos und die Wohlfahrtstechnokraten stimmen im Ruf nach Mäßigung überein: sie fordern den Übergang von Gütern, deren Benutzung nur das

Privileg weniger ist, zu sogenannten «sozialen Einrichtungen und Anlagen». Sie fordern eine gerechtere Verteilung der immer weniger werdenden Gesamtarbeitszeit, die in einer Beschränkung der üblichen Arbeitswoche auf etwa zwanzig Stunden bestünde; sie fordern die Mobilisierung der Reserve von lebenslang Arbeitslosen durch Umschulungsprogramme oder freiwilligen Dienst nach dem Vorbild von Mao, Castro oder Kennedy. Dieses neue Stadium der Industriegesellschaft – obzwar sozialistisch, effektiv und rational – würde doch nur ein weiteres Stadium jener Kultur einleiten, die die Erfüllung von Wünschen zur repetitiven Befriedigung dekretierter Bedürfnisse durch technisch geplante Massenwaren degradiert. Bestenfalls könnte diese Alternative Güter und Dienstleistungen in kleineren Quanten produzieren, sie gerechter verteilen und weniger Neid wecken. Die symbolische Partizipation der Menschen an der Entscheidung darüber, was erzeugt werden sollte, wäre nicht mehr als der Wandel vom Wolf auf dem Markt zum Schaf in der politischen Versammlung. Gewiß, die negativen Auswirkungen der Produktion auf die Umwelt könnten gemildert werden. Was den Warensektor betrifft, so könnten die Dienstleistungen, vor allem die verschiedenen Formen der sozialen Kontrolle, sicherlich viel schneller wachsen als die Gütererzeugung. Schon heute allerdings sind die staatlich bestallten Propheten «alternativer Szenarien» im Sinne dieser ersteren Option bereits zu dem Schluß gelangt, daß die sozialen Kontrollen, die notwendig wären, um Mäßigung in einer ökologisch lebensfähigen, aber immer noch auf die Industrie begründeten Gesellschaft durchzusetzen, einen zu hohen Preis kosten würden.

Die zweite Option würde mit der absoluten Herrschaft des Marktes aufräumen und ein Ethos der Mäßigung zugunsten allgemein *befriedigenden* Handelns begründen. Während *Mäßigung* bei der ersten Alternative bedeutet, daß der einzelne den von Experten im Namen gesteigerter Produktivität erlassenen Dekreten gehorcht, ist Mäßigung bei letzterer Alternative jene soziale Tugend, die eine konsensfähige Einigung auf maximale Grenzen jener technisch-instrumentellen Energiequanten erlaubt, die der einzelne für sich selbst wie im Dienste anderer beanspruchen darf. Diese «konviviale Mäßigung» würde eine Gesellschaft dazu inspirieren, den persönlichen Gebrauchswert, über den alle verfügen könnten, gegen die entmündigende Bereicherung der wenigen zu schützen. Solcher Schutz vor entmündigendem Überfluß würde viele unterschiedliche Kulturen entstehen lassen – eine jede ebenso modern wie dem allgemeinen Gebrauch moderner Werkzeuge verpflichtet. Konviviale Mäßigung begrenzt den Gebrauch jeglichen Werkzeugs derart, daß das Privateigentum an den Werkzeugen viel von seiner gegenwärtigen Macht verlieren würde. Ob Fahrräder hier der Gemeinschaft oder dort dem Fahrer gehören, dies ändert nichts am wesentlich konvivialen Charakter des Fahrrads als Werkzeug. Solche Waren könnten immer noch weitgehend durch industrielle Fertigungsmethoden produziert werden. Aber sie würden anders aufgefaßt und bewertet. Heute werden die Waren vorwiegend als Massengüter angesehen, die unmittelbar die von deren Herstellern geplanten Bedürfnisse nähren. Bei dieser zweiten Option würden sie entweder als Rohmaterialien oder als Werkzeuge wertvoll sein, die es den Menschen erlauben, Gebrauchswerte im Dienste der Subsistenz ihrer Gemeinschaften zu schaffen. Diese Option setzt allerdings eine kopernikanische Wende in unserem Verständnis der Werte voraus. Heute stehen Konsumgüter und Expertendienste im Mittelpunkt unseres Wirtschaftssystems. Und Spezialisten richten unsere Bedürfnisse ausschließlich auf diesen Mittelpunkt aus. Die soziale Umkehr dagegen, von der wir hier sprechen, würde die von den Menschen geschaffenen und für sie persönlich wertvollen Gebrauchswerte selbst in den Mittelpunkt stellen. Gewiß haben die Menschen in letzter Zeit das Zutrauen verloren, ihre eigenen Bedürfnisse und Wünsche zu formulieren. Die weltweite Diskriminierung des Autodidakten hat vielen Menschen das Selbstvertrauen geraubt, ihre Bedürfnisse und Ziele selbst zu bestimmen. Doch eben diese Diskriminierung führte auch zu einer Vielzahl stets anwachsender Minoritäten, die sich gegen diese heimtückische Enteignung auflehnen.

Diese Minoritäten erkennen bereits, daß sie – und mit ihnen alles autochthone Kulturleben – durch die Megawerkzeuge bedroht sind, die systematisch jene Umweltbedingungen zerstören, die die Autonomie des Individuums und der Gruppe fördern. Daher beschließen sie in aller Stille, für die selbstbestimmte Nutzung ihres Körpers, ihrer Erinnerungen und Fähigkeiten zu kämpfen. Weil die rasche Vermehrung dekretierter Bedürfnisse immer neue Formen der Abhängigkeit und immer neue Kategorien der modernen Armut erzeugt, stellen die spätindustriellen Gesellschaften sich als interdependente Konglomerate von bürokratisch stigmatisierten Mehrheiten dar. Aus der Masse der in ihren Lebensmöglichkeiten verstümmelten Bürger schließen sich nur wenige zu organisierten, aktiven Bürgerminoritäten zusammen, die aber allmählich wachsen und eine Koalition des öffentlichen Dissens bilden. Diese Gruppen läuten das Ende einer Epoche ein. Eine der Möglichkeiten, eine Epoche zu beenden, besteht darin, daß man ihr einen treffenden Namen gibt. Ich schlage vor, daß wir die Mitte des 20. Jahrhunderts die Epoche der entmündigenden Expertenherrschaft nennen. Diese Bezeichnung wähle ich, weil sie denjenigen, der sie gebraucht, auf ein Engagement festlegt. Sie verweist ferner auf den antisozialen Charakter der Funktionen von Leuten, deren Wert für die Gesellschaft kaum je angezweifelt wird – Erzieher, Ärzte, Sozialarbeiter, Naturwissenschaftler. Zugleich verurteilt diese Bezeichnung die behagliche Gleichgültigkeit der Bürger, die sich als Klienten dieser Experten einer vielgestaltigen Sklaverei unterwerfen. Spricht man von der entmündigenden Macht der Experten, dann beschämt man damit zugleich deren Opfer und zwingt sie, die gegen sie gerichtete Verschwörung zu erkennen: der lebenslange Student, der gynäkologische Fall, der Konsument – sie alle sind von einem Manager abhängig. Wenn wir die sechziger Jahre unseres Jahrhunderts als die hohe Zeit der Problemlöser bezeichnen, dann klagen wir damit nicht nur den aufgeblähten Dünkel unserer akademischen Eliten, sondern zugleich die gierige Unersättlichkeit ihrer Opfer an.

Solche Beschäftigung mit den Machern der gesellschaftlichen Wünsche und Phantasien und der kulturellen Werte will aber mehr als nur aufdecken und anklagen: wenn wir die vergangenen fünfundzwanzig Jahre als die Epoche der Expertenherrschaft bezeichnen, dann schlagen wir eine Strategie vor. Wir erkennen damit die Notwendigkeit an, über die konventionelle Forderung nach einer bloßen Umverteilung umweltschädlicher, irrationaler und paralysierender Waren hinauszugehen. Diese Strategie verlangt nicht weniger als die Entlarvung des elitären Expertenethos. Die Glaubwürdigkeit des wissenschaftlichen Experten, sei er Ingenieur, Therapeut oder Manager, ist die Achillesferse des Industriesystems. Daher können nur solche Bürgerinitiativen und radikalen Technologien, die ihren Angriff direkt gegen die einschmeichelnde Herrschaft der entmündigenden Experten richten, den Weg zur freien Entfaltung nichthierarchischer, aus der Gemeinschaft hervorgegangener Kompetenz eröffnen. Das Verschwinden des Herrschaftsanspruchs der Experten ist eine notwendige Voraussetzung dafür, daß eine neue Beziehung hergestellt werden kann. Der erste Schritt dazu ist eine skeptische, respektlose Einstellung der Bürger gegenüber dem wissenschaftlichen Experten. Die Erneuerung der Gesellschaft muß vom Zweifel ausgehen.

Wenn ich vorschlage, die Macht der Experten zu analysieren, um von dort ausgehend den Schlüssel zur gesellschaftlichen Erneuerung zu finden, hält man mir oft entgegen, daß es ein gefährlicher Irrtum sei, bei der Suche nach einer Alternative zu dem Industriesystem gerade an diesem Phänomen anzusetzen. Ist denn nicht, so wird gefragt, die heutige Gestalt des Bildungs-, Medizin- und Planungsestablishments tatsächlich ein Reflex der Macht- und Privilegienverteilung einer kapitalistischen Elite? Ist es denn nicht unverantwortlich, das Vertrauen des kleinen Mannes zu seinem wissenschaftlich geschulten Lehrer, Arzt oder Volkswirtschaftler gerade in dem Augenblick zu untergraben, da die Armen auf diese ausgebildeten, aus ihren eigenen Reihen hervorgegangenen Beschützer angewiesen sind, um sich Zugang zu Schule, Klinik und Expertendiensten zu verschaffen? Sollte nicht die Verurteilung des Industriesystems eher auf die Einkommen der Aktionäre von Pharmakonzernen oder auf die Vorrechte der zu den neuen Eliten gehörenden Machtträger zielen? Ist es nicht beinah pervers, gerade diejenigen anzuschwärzen, die sich mühselig das erforderliche Wissen errungen haben, um unsere Wohlfahrtsbedürfnisse zu erkennen und sich in den Dienst ihrer Befriedigung zu stellen? Ja, sollten wir nicht zumindest jene radikalen Experten, die mit sozialistischem Führungsanspruch auftreten, als Elite anerkennen, die die beste Eignung für die gesellschaftliche Aufgabe mitbringt, die «realen» Bedürfnisse der Menschen in einer egalitären Gesellschaft zu definieren und zu erfüllen?

Argumente, wie sie in solchen Fragen implizit enthalten sind, werden immer wieder vorgebracht, um eine öffentliche Untersuchung der entmündigenden Auswirkungen eines ausschließlich auf Dienstleistungen eingestellten Wohlfahrtssystems zu blockieren und zu diskreditieren. Diese Auswirkungen sind unvermeidlich und in jedem politischen System die gleichen – egal unter welcher politischen Flagge sie den Menschen aufgezwungen werden. Sie nehmen den Leuten ihre Autonomie, indem sie diese – durch rechtliche Maßnahmen, Eingriffe in die Umwelt und soziale Veränderungen – zwingen, Wohlfahrtskonsumenten zu werden. In solche rhetorische Fragen kleidet sich die krampfhafte Verteidigung der Privilegien jener Eliten, die zwar einen Teil ihres Einkommens einbüßen, ganz gewiß aber an Status und Macht gewinnen würden, falls der Zugang zu ihren Dienstleistungen in einer neuen Form der marktintensiven Ökonomie gerechter verteilt wäre.

Ein weiterer Einwand gegen jede Kritik an der Macht der Experten will den Teufel mit dem Beelzebub austreiben. Dieser Einwand zielt auf die Rüstungskonglomerate, die offenbar im Mittelpunkt jeder bürokratischen Gesellschaft stehen, und verlangt, deren Rolle zu analysieren. Die Sicherheitskräfte, so lautet das Argument, seien die treibende Kraft hinter der heutigen universellen Reglementierung und der marktabhängigen Disziplinierung. Als eigentliche Bedürfnismacher werden die Rüstungsbürokratien identifiziert, die entstanden sind, seit Richelieu unter Ludwig XIV. die ersten professionellen Polizeikräfte aufstellte: also jene bürokratischen Expertenagenturen, die heute für Waffen, Nachrichten und Propaganda verantwortlich sind. Seit Hiroshima bestimmen diese sogenannten öffentlichen Dienste die Richtung der Forschung, das Design der Produkte, die Zahl der Arbeitsplätze. Sie machen sich die Gegebenheiten des zivilen Bereichs zunutze: etwa die Einübung von Disziplin in der Schule, die Abrichtung der Konsumenten auf überflüssige Genüsse, die Gewöhnung der Menschen an gewalttätige Geschwindigkeiten, die medizinische Verplanung des Lebens in einem weltweiten Sanitätsbunker, die Abhängigkeit von standardisierten Zugeständnissen wohlwollender Quartiermeister. Diese Auffassung betrachtet das Sicherheitsstreben des Staates als Ursache der jeweiligen Produktionsformen einer Gesellschaft, und die Zivilwirtschaft wäre demnach lediglich Nebenprodukt bzw. Zulieferer des militärischen Sektors.

Falls das auf diesen Vorstellungen fußende Argument zuträfe, wie könnte dann eine Gesellschaft überhaupt auf Atomkraft verzichten – ganz gleich wie giftig, sozial dominierend und kontraproduktiv eine zusätzliche Energieschwemme wäre? Wie könnte ein vom Verteidigungsdenken besessener Staat zulassen, daß unzufriedene Bürgergruppen sich organisieren, die sich stadtviertelweise aus dem Konsumkreislauf ausschalten wollen und nach kleinen, gebrauchswertintensiven Produktionsweisen verlangen, wie sie in einem Klima der befriedigenden Armut und Mäßigung möglich wären? Müßte eine militarisierte Gesellschaft nicht zwangsläufig die Konsumdeserteure verfolgen, sie als Hochverräter brandmarken und nicht nur verächtlich, sondern auch lächerlich machen?

Eine solche Argumentation übertreibt die Bedeutung des Militärs als Urheber der Gewalt in einer Industrienation. Die Auffassung, militärische Sachzwänge wären für Aggressivität und Destruktivität der fortgeschrittenen Industriegesellschaft verantwortlich, muß als Illusion offenbart werden. Falls allerdings der Fall einträte, daß das Militär das Industriesystem weitgehend usurpiert und alle Sphären gesellschaftlicher Aktivität der zivilen Kontrolle entzieht, dann hätte der gegenwärtige Zustand einer militarisierten Politik einen Punkt erreicht, wo keine Umkehr, zumindest keine zivile Reform mehr möglich wäre. Genau dies aber ist zum Beispiel das Argument der intelligenteren Militärs an der Spitze Brasiliens, die in der Armee den einzig legitimen Treuhänder einer friedlichen industriellen Entwicklung für den Rest dieses Jahrhunderts sehen.

Tatsächlich aber liegen die Dinge nicht so einfach. Der spätindustrielle Staat ist mitnichten das Produkt der Armee. Vielmehr ist die Armee nur Symptom für dessen totale, alles erfassende

Ausrichtung. Gewiß, die heutigen Organisationsformen der Industrie lassen sich auf militärische Vorläufer in napoleonischer Zeit zurückführen. Gewiß, die allgemeine Schulpflicht, die allgemeine Gesundheitsfürsorge, die noch immer wachsenden Kommunikationsnetze sowie die meisten Formen der industriellen Standardisierung sind allesamt Strategien, die zuerst als militärische Erfordernisse eingeführt und erst später als respektable Formen des zivilen, friedlichen Fortschritts verstanden wurden. Aber die Tatsache, daß es eines militärischen Vorwands bedurfte, um Gesundheits-, Erziehungs- und Wohlfahrtssysteme gesetzlich zu verankern, besagt nicht, daß sie nicht durchaus mit der Grundrichtung der industriellen Entwicklung übereinstimmten, die eben niemals gewaltlos, friedlich und von der Achtung für den Menschen durchdrungen war. Heute allerdings fällt uns diese Einsicht leichter: Zum einen, weil es seit der Existenz von Waffensystemen wie «Polaris» nicht mehr möglich ist, zwischen Kriegs- und Friedensarmeen zu unterscheiden, und zum anderen, weil seit dem «Krieg gegen die Armut» auch der Frieden auf dem Kriegspfad ist. Heute sind alle Industriegesellschaften ständig im Zustand totaler Mobilisierung. Jeden Moment werden organisatorische Vorkehrungen gegen irgendwelche öffentlichen Notstände getroffen; jeden Tag werden in allen Sektoren der Gesellschaft neue Fortschrittsstrategien entworfen; die von den Streitern um Chancengleichheit umkämpften Schlachtfelder des Gesundheits-, Bildungs- und Wohlfahrtswesens sind von Opfern übersät und von Ruinen überzogen; jeden Tag werden im Kampf gegen stets aufs neue entdeckte Übel die Freiheitsrechte der Bürger suspendiert; jedes Jahr entdeckt man neue Randgruppen, die vor irgendeiner neuen Krankheit geschützt, aus irgendeiner bislang unbekannten Unwissenheit befreit werden sollen. All diese von sämtlichen Expertenagenturen erfundenen und dekretierten «Grundbedürfnisse» laufen angeblich auf eines hinaus – das Bedürfnis, dem Übel zu wehren.

Wenn heute Sozialwissenschaftler und Intellektuelle das Militär für die Destruktivität der marktintensiven Gesellschaften verantwortlich machen, so ist dies eigentlich ein ziemlich plumper Versuch, den Verfall ihrer eigenen Legitimität aufzuhalten. Wenn sie behaupten, daß es das Militär sei, welches das Industriesystem in Frustration und Destruktion treibt, dann lenken sie die Aufmerksamkeit vom zutiefst destruktiven Charakter einer marktintensiven Gesellschaft ab, die ihre Bürger in die modernen Kriege um Wohlstand und Fortschritt hetzt. Jenen, die versuchen, Vorrechte der Experten gegen den reifen Bürger zu schützen, wie auch jenen, die den Experten als Opfer des militarisierten Staates darstellen wollen, ist nur eine Antwort entgegenzuhalten: nämlich der Hinweis auf den Weg, den freie Bürger einschlagen wollen, um eine weltweite Krise abzuwenden.

Das Ende einer Epoche

Die Illusionen, die es den Experten erlauben, sich als Schiedsrichter über die Bedürfnisse der Menschen aufzuwerfen, werden inzwischen zunehmend als Illusionen erkannt. Die Verfahrensweisen im Sektor der öffentlichen Dienste werden oft schon als das erkannt, was sie sind: nämlich Rituale, die das Lieferanten/ Konsumenten-Karussell abzuschirmen haben gegen das Offenbarwerden der Widersprüche zwischen dem Ideal, dem zu dienen diese Einrichtungen geschaffen wurden, und der Realität. Die Schule zum Beispiel, die mit dem Versprechen gleicher Bildung für alle auftrat, erzeugt eine in ungleichem Maß degradierende Meritokratie und lebenslange Abhängigkeit von weiterer Bevormundung, ähnlich wie die Motorfahrzeuge jedermann zur sinnlosen Flucht nach vorn zwingen. Die Öffentlichkeit aber hat noch nicht begriffen, daß es um eine Entscheidung geht. Solche gesellschaftlichen Projekte unter Leitung von Experten können zu politischen Zwangsbekenntnissen (mit allen Begleitmerkmalen eines neuen Faschismus) führen, oder aber der Einspruch der Bürger könnte diese Hybris als bereits historisch gewordenes Sammelsurium von neoprometheischen, aber vergänglichen Narreteien aufweisen. Eine sachkundige Entscheidung setzt voraus, daß wir die spezifische Rolle der Experten untersuchen, die bislang in dieser Epoche bestimmten, wer was von wem erhielt – und warum.

Um uns recht klarzumachen, was gegenwärtig geschieht, brauchen wir uns nur die Kinder vorzustellen, die demnächst in den Ruinen von Oberschulen, Hilton-Hotels und Kliniken spielen werden. In diesen zu Kathedralen geratenen Expertenkastellen, errichtet, um uns gegen Dummheit, Ungemach, Leid und Tod zu schützen, werden die Kinder von morgen in ihren Spielen die Phantasmagorien unseres Expertenzeitalters reinszenieren, ähnlich wie die Burgen und Dome der Glaubensepoche uns als Kulisse der ritterlichen Kreuzzüge gegen Sünde und Türkengefahr erscheinen. In solchen Spielen werden die Kinder den Einheitsjargon, der heute unsere Sprache beschädigt, mit den von Cowboys und Räuberbaronen überlieferten Archaismen vermischen. Ich höre schon, wie sie einander als «Herr Vorsitzender» und «Herr Sekretär» anreden, nicht mehr als Häuptling und Ritter. Die Erwachsenen werden dann natürlich erröten, wenn sie ins Managerpidgin mit Ausdrücken wie «Entscheidungsfindungsprozeß», «Gesellschaftsplanung» und «Problemlösung» verfallen.

An die Epoche der Experten wird man sich erinnern als an jene Zeit, da die Politik verfiel, da die von Intellektuellen geführten Wähler den Technokraten die Vollmacht übertrugen, Bedürfnisse gesetzlich zu regeln, ihnen die Autorität zugestanden, zu entscheiden, wer was benötigt, und ihnen ein Monopol über die Mittel einräumten, durch die sie diese Bedürfnisse zu befriedigen gedachten. Man wird sich daran erinnern als ans Zeitalter der Schule, da die Menschen ein Drittel ihres Lebens trainiert wurden, nach Vorschrift Bedürfnisse zu akkumulieren, während sie die übrigen zwei Drittel als Klienten von respektablen Drogenpushern verbrachten, die ihr Suchtverhalten managten. Man wird sich daran erinnern als die Zeit, da Urlaubsreisen die organisierte Plünderung von Fremden, und Intimität ein Training nach Masters und Johnson war; da Meinungsbildung eine Reprise der Talk-Show von gestern abend, und die politische Wahl eine Mail-Order-Bestellung auf mehr vom Immergleichen war.

Die Studenten der Zukunft werden sich über die angeblichen Unterschiede zwischen kapitalistischen und sozialistischen Schul-, Gesundheits-, Strafvollzugs- und Transportsystemen ebenso wundern wie die heutigen Studenten über den von den christlichen Konfessionen in der Reformationszeit ausgefochtenen Streit, ob Rechtfertigung vor Gott durch gute Werke oder durch den Glauben allein möglich sei. Auch werden sie entdekken, daß akademische Bibliothekare, Chirurgen oder Supermarkt-Planer in den armen und in den sozialistischen Ländern gegen Ende eines jeden Jahrzehnts die gleichen Akten registrierten, die gleichen Instrumente verwendeten, die gleichen Bauten errichteten wie ihre Kollegen in den reichen Ländern sie zu Anfang desselben Jahrzehnts als Neuerungen einführten. Die künftigen Archäologen werden unsere Lebenszeit nicht nach Keramikscherben, sondern nach den jeweiligen Experten-Moden datieren, wie sie sich in UN-Rechenschaftsberichten darstellen.

Es wäre vermessen, vorhersagen zu wollen, ob man sich an diese Epoche, da die Bedürfnisse nach den Plänen von Experten geformt wurden, mit einem Lächeln oder mit einem Fluch erinnern wird. Was mich angeht, so hoffe ich natürlich, daß man sich daran erinnern wird wie an eine Nacht, in der Papa das Vermögen der Familie versoff und damit seine Kinder zwang, neu anzufangen. Sehr viel wahrscheinlicher ist leider, daß man sich daran erinnern wird als an die Zeit, da unsere räuberische Jagd nach dem Reichtum alle Freiheiten käuflich machte und Politik, nur noch als habgierige Nörgelei von Wohlfahrtsempfängern artikuliert, in der totalitären Expertenherrschaft unterging.

Die Dominanz der Spezialistenzünfte

Wir müssen die Tatsache erkennen, daß die Spezialistenverbände, die heute Macht über die Schaffung, Zuweisung und Befriedigung von Bedürfnissen haben, ein neuartiges Kartell bilden. Und dieses Kartell wird ständig reorganisiert, um sich entwickelnden Widerständen zuvorzukommen. Denn schon sehen wir, wie der neue Biokrat sich in der Maske des guten alten Arztes tarnt, die pädagogische Aggression wird verharmlost als Übereifer des engagierten Lehrers, und der mit dem Arsenal psychologischer Einsichten bewaffnete Personalchef tarnt sich im Gewand des ehemaligen Vorarbeiters und Meisters. Die neuen Spezialisten, die nichts anderes tun, als solche menschlichen Bedürfnisse zu befriedigen, die ihre Zunft erst erfunden und definiert hat, kommen gern im Namen der Liebe daher und bieten irgendeine Form der Fürsorge an. Ihre Zünfte sind tiefer verfilzt als eine byzantinische Bürokratie, internationaler organisiert als eine Weltkirche und stabiler als jeder Gewerkschaftsbund, dazu ausgestattet mit umfassenderen Kompetenzen als jeder Schamane und rücksichtsloser in der Ausbeutung ihrer Schützlinge als die Mafia. Diese neuen Spezialistenorganisationen sind sorgfältig von Gangstersyndikaten zu unterscheiden. Die Erzieher zum Beispiel schreiben der Gesellschaft heute vor, was gelernt werden soll, und erklären das, was früher außerhalb der Schule gelernt wurde, als nichtig. Auf Grund dieser Monopolstellung, die den tyrannischen Spezialistenzünften die Macht gibt, dir zu verbieten, woanders einzukaufen oder deinen eigenen Schnaps zu brennen, scheinen diese auf den ersten Blick der lexikalischen Definition einer Mafia zu entsprechen. Aber die Gangster schlagen ihren Profit aus den Bedürfnissen der Menschen, indem sie die Versorgung mit entsprechenden Gütern kontrollieren. Heute können Erzieher, Ärzte und Sozialarbeiter etwas, was früher nur Priester und Richter vermochten – nämlich aus eigener Rechtsvollkommenheit ein Bedürfnis erzeugen, das zu befriedigen sie allein berechtigt sind. So verwandeln sie den modernen Staat in ein wirtschaftliches Kartell, das sie bei der Ausübung ihrer selbst lizensierten Kompetenzen monopolistisch begünstigt.

Solche legale Kontrolle über die Arbeit des Menschen gab es bislang in vielerlei Formen: Söldnerheere weigerten sich zu kämpfen, sofern ihnen nicht das Recht zu plündern zugestanden wurde; Lysistrata organisierte die Frauen, um durch die Verweigerung sexueller Dienstbarkeit den Frieden zu erzwingen; die Ärzte in Cos verschworen sich per Eid, ihre Berufsgeheimnisse nur ihren eigenen Nachkommen weiterzugeben; die mittelalterlichen Zünfte schrieben Lehrpläne, Gebete, Prüfungen, Pilgerfahrten und allerlei Schikanen vor, die Hans Sachs bestehen mußte, bevor es ihm erlaubt war, die Schuhe seiner Mitbürger zu besohlen. In kapitalistischen Ländern wollen die Gewerkschaften bestimmen, wer arbeiten darf, wie lange und für welchen Lohn. Bei all diesen Berufsgenossenschaften geht es um den Versuch von Spezialisten vorzuschreiben, wie ihre jeweilige Arbeit getan werden soll und von wem. Keine dieser Berufsvereinigungen war jedoch eine Spezialistenzunft im strikten Sinn, wie es die ärztlichen Berufsvereinigungen heute sind. Die dominierenden Experten von heute – und die Ärzte sind nur das bekannteste und auch peinlichste Beispiel – gehen nämlich einen Schritt weiter: sie entscheiden darüber, was für wen getan werden soll und wie ihre Dienste verwaltet und zugeteilt werden sollen. Sie beanspruchen ein unkommunizierbares Spezialwissen nicht nur darüber, wie die Dinge sind und gemacht werden sollen, sondern sie liefern auch die Begründung, warum ihre Dienste gebraucht werden sollen. Der Händler verkauft dir die Waren, die er auf Lager hat. Berufsgenossenschaften und Innungen garantieren dir Qualität. Handwerker liefern dir Produkte nach Maß oder nach deinem Geschmack. Die akademischen Experten sagen dir, was du brauchst. Sie beanspruchen die Vollmacht, dir Vorschriften zu machen. Sie propagieren nicht nur, was gut ist, sondern sie bestimmen auch, was richtig ist. Das spezifische Kennzeichen des Experten ist weder sein Einkommen, seine lange Ausbildung, seine besondere Aufgabe noch seine soziale Stellung. Was einzig zählt, ist die Vollmacht des Experten, einen Menschen als Klienten oder Patienten zu definieren, die Bedürfnisse dieses Menschen zu bestimmen und ihm ein Rezept auszuhändigen, das seine neue gesellschaftliche Rolle definiert. Während die Höker und Hehler in alter Zeit verkauften, was andere verschenkten, maßen die modernen Experten sich an zu entscheiden, was verkauft werden muß und nicht verschenkt werden darf.

Es gibt noch einen weiteren Unterschied zwischen den Vollmachten der Experten und jenen anderer Berufe: denn die Macht der Experten entspringt einer anderen Quelle. Eine Gilde, eine Gewerkschaft oder ein Gangstersyndikat setzt seine Interessen durch Streik, Erpressung oder offene Gewalt durch. Die Spezialistenzunft dagegen bezieht – wie eine Priesterschaft – ihre Macht aus den Konzessionen einer Elite, deren Interessen sie wiederum stützt. Ähnlich wie die Priester im Gefolge eines gesalbten Königs Mittel zum Heil anboten, vermittelt, interpretiert und stützt eine Spezialistenzunft ein besonderes, diesseitiges Interesse im Namen der Anhängerschaft moderner Regenten. Das besondere Privileg der Experten, anderen vorschreiben zu können, was für sie richtig ist und was sie daher benötigen, ist die Quelle von Prestige und Macht, die sie im Industriestaat genießen. Solche Expertenmacht konnte natürlich nur in Gesellschaften entstehen, in denen die Zugehörigkeit zur Elite selbst durch den Expertenstatus legitimiert, wenn nicht überhaupt erworben wird: eine Gesellschaft nämlich, in der den herrschenden Eliten eine einzigartige Fähigkeit zugeschrieben wird, objektiv zu definieren, was Mangel ist und wie dieser moralisch einzuschätzen sei. Die gesellschaftliche Autonomie der Experten und ihre Vollmacht, die Bedürfnisse der Gesellschaft zu definieren, sind logischerweise

Formen der Oligarchie in einer politischen Kultur, in der materieller Besitz durch Wissenskapital-Zertifikate, wie die Schulen sie ausstellen, ersetzt wurden. Umfang und Ursprung der Kontrolle, die die Spezialistenzünfte über die Arbeit ihrer Mitglieder ausüben, sind also klar zu bestimmen.

Außerdem hat die Macht der Experten sich letzthin im Ausmaß so stark gewandelt, daß zwei völlig verschiedene Dinge unter dem gleichen Namen laufen. So etwa entzieht sich der praktizierende und experimentierende Medizinwissenschaftler dauernd der kritischen Analyse, indem er im Gewand des Hausarztes von gestern daherkommt. Der wandernde Physikus wandelte sich zum Facharzt, als er den Handel mit Arzneien dem Apotheker überließ und sich selbst die Rezeptur vorbehielt. In diesem Augenblick gewann er eine ganz neue Autorität, indem er drei Rollen in einer Person vereinigte: die beratende, belehrende und führende Autorität des Weisen; die moralische Autorität, die das Befolgen seiner Ratschläge nicht nur nützlich, sondern zur Pflicht macht; und die charismatische Autorität, die es dem Arzt erlaubt, an ein höheres Interesse seines Patienten zu appellieren, das nicht nur die Vernunft, sondern mitunter sogar die *raison d'état* überwiegt. Diese Gestalt des Arztes gibt es natürlich immer noch, aber in einem modernen Medizinsystem gehört sie der Vergangenheit an. Heute setzt sich ein neuer Typ des Fachmannes für angewandte Medizinwissenschaft durch: er befaßt sich zunehmend eher mit Fällen als mit Personen; er befaßt sich mit den Störungen eines Falls, nicht mit den Beschwerden des einzelnen Menschen; er wahrt eher die Interessen der Gesellschaft als die des Individuums. Die genannten Formen der Autorität, die der einzelne Praktiker während der liberalen Epoche bei der Behandlung seines Klienten auf sich vereinigte, werden heute von der Expertenvereinigung im Dienst des Staates beansprucht. Dieses korporative Gebilde maßt sich eine gesellschaftliche Mission an.

Erst in den letzten 25 Jahren wandelte die Medizin sich von einem freien Beruf zu einer dominierenden Expertenzunft, die aus eigener Machtvollkommenheit verfügt, was ein Gesundheitsbedürfnis für die Menschen im allgemeinen darstellt. Die Gesundheitsspezialisten als korporativer Verein besitzen die Autorität zu bestimmen, welche Art Gesundheitsversorgung der ganzen Gesellschaft geliefert werden soll. Nicht mehr der einzelne Experte verschreibt dem einzelnen Klienten ein «Bedürfnis», sondern jetzt dekretiert eine korporative Agentur einer ganzen Klasse von Menschen ein «Bedürfnis» und beansprucht sodann das Mandat, die gesamte Bevölkerung zu untersuchen, um festzustellen, wer zur Gruppe der potentiellen Patienten gehört. Und was im Gesundheitssektor geschieht, entspricht durchaus der Entwicklung in anderen Bereichen. In Scharen springen die neuen Weltweisen auf den fahrenden Zug der therapeutischen Versorgungslieferanten auf: Erzieher, Sozialarbeiter, Militärs, Stadtplaner, Richter, Polizisten und ihresgleichen – sie haben es offenbar geschafft. Sie genießen alle Freiheiten beim Erfinden der diagnostischen Werkzeuge, mit denen sie alsdann ihre Klienten zur Behandlung einfangen. Dutzende anderer Bedürfnismacher versuchen es ebenfalls: internationale Banker «diagnostizieren» die Krankheiten eines afrikanischen Landes und zwingen es dann, die verschriebene Arznei zu schlucken, mag auch der «Patient» daran sterben; Spezialisten für innere Sicherheit beurteilen das Loyalitätsrisiko des Bürgers und löschen alsdann seine Privatsphäre aus; Hundefänger empfehlen sich der Öffentlichkeit als Seuchenkontrolleure und beanspruchen ein Monopol über das Leben streunender Hunde. Die einzige Möglichkeit, die Eskalation der Bedürfnisse zu vermeiden, besteht in der gründlichen politischen Aufdeckung jener Illusionen, die das Treiben der dominierenden Spezialistenzünfte legitimieren.

Manche dieser Zünfte haben sich so fest etabliert, daß sie nicht nur den Bürger-als-Klient total bevormunden, sondern auch die Gestalt seiner Welt-als-Krankenstation bestimmen. Die Sprache, in der der Bürger sich selbst wahrnimmt, seine Auffassung von Rechten und Freiheiten, sein Wissen um seine Bedürfnisse – all dies wird ihm durch die Hegemonie der Experten vorgeschrieben.

Der Unterschied zwischen Handwerkern, freien Berufen und den neuen Technokraten wird deutlich, wenn wir uns überlegen, welche Konsequenzen es hatte oder hat, sich nicht um deren Rat zu kümmern. Wer früher den Rat des Handwerkers in den Wind schlug, war ein Narr. Wer den Rat eines freiberuflichen Anwalts oder Architekten mißachtete, zog sich den Tadel der Gesellschaft zu. Heute aber wird der Experte selbst oder gar der Staat verantwortlich gemacht, wenn jemand sich der Fürsorge entzieht, die sein Anwalt, Lehrer, Chirurg oder Psychiater für ihn beschlossen hat. Unter dem Vorwand, die Bedürfnisse des Menschen besser und gerechter zu befriedigen, mauserte sich der seine freien Dienste anbietende Experte zum philanthropischen Kreuzzügler. Der Ernährungswissenschaftler schreibt die «richtige» Kost für den Säugling vor, der Psychiater verschreibt das «richtige» Antidepressikum, und der Schulmeister – mit inzwischen unumschränkter Erziehungsgewalt – fühlt sich berechtigt, seine Methode zwischen dich und alles, was du lernen willst, zu schieben. Jede neue Fachrichtung der Expertendienste ist, um sich entfalten zu können, darauf angewiesen, daß die Öffentlichkeit neue Vorstellungen von Gut und Böse – und mithin darüber, was existieren darf und was nicht – übernimmt, die auch durch das Recht gestützt werden. So expandierte die Schule zum Kreuzzug gegen den Analphabetismus, sobald Analphabetismus als Übel definiert wurde. Kreißsäle wurden zum Tor der Welt, seit die Hausgeburt als schlecht und rückständig galt.

Das Monopol der Experten definiert, was Abweichung ist und welche Abhilfen dagegen benötigt werden. So etwa meinen die Anwälte, daß nur sie allein die Kompetenz und *legale* Berechtigung haben, eine Ehescheidung zu erwirken. Wer sich ein Verfahren für die Do-it-yourself-Scheidung ausdächte, geriete in einen doppelten Konflikt: bist du kein Anwalt, kriegst du ein Verfahren wegen Amtsanmaßung an den Hals; bist du Mitglied der Anwaltskammer, dann verfolgt diese dich wegen unstandesgemäßen Verhaltens. Die Experten maßen sich auch ein besonderes Geheimwissen über die menschliche Natur und ihre Schwächen an – ein Wissen, das nur sie allein anzuwenden berechtigt sind. Die Totengräber zum Beispiel wurden nicht dadurch zur Expertenzunft, daß sie sich als Bestattungsunternehmer titulierten, auch nicht dadurch, daß sie Fachschuldiplome erwarben, ihr Einkommen merklich steigerten oder den ihrem Gewerbe anhaftenden Ruch loswurden, indem sie einen aus ihren Reihen zum Präsidenten des «Lions Club» wählen ließen. Die Pietät-Unternehmer sind erst dann eine Expertenzunft, wenn sie die Macht haben, gegen dein Begräbnis die Polizei einschreiten zu lassen, wenn du dich weigerst, dich von ihnen einbalsamieren und einsargen zu lassen. In jedem Bereich, wo überhaupt menschliche Bedürfnisse ersonnen werden können, erheben diese entmündigenden Spezialistenzünfte den Anspruch, allein und ausschließlich dem Wohl der Allgemeinheit zu dienen.

Der Wandel vom freien Beruf zur dominierenden Expertenzunft kommt der staatsrechtlichen Anerkennung einer Kirche gleich. Die Ärzte als Biokraten, die Lehrer als Gnosokraten, die Totengräber als Thanatokraten haben weit mehr mit einer vom Staat finanzierten Geistlichkeit als mit freien Gewerbevereinen zu tun. Für die jeweilige Strömung der wissenschaftlichen Orthodoxie fungiert der Experte als Theologe. Als Sachwalter der Moral handelt er in der Rolle des Priesters: er weckt das Bedürfnis nach seiner Vermittlung zwischen dem dumm geborenen Menschen und dem Himmelreich gesellschaftlich funktionaler Bildung. Als vom Fortschrittsdenken getriebener Helfer der Unterprivilegierten spielt er die Rolle des Missionars und macht Jagd auf die noch nicht zum Evangelium der Schule Bekehrten. Als Inquisitor schleudert er den Bannstrahl gegen die Unorthodoxen: er zwingt dem widerspenstigen Ketzer, der nicht zugeben will, daß er ein Problem darstellt, seine Lösungen auf. Diese vielgestaltige Investitur, die dem Experten die Aufgabe überträgt, spezifische Mängel der menschlichen Existenz zu beheben, verleiht jeder Spezialistenzunft den Status eines anerkannten Religionskults. Die öffentliche Anerkennung der dominierenden Spezialistenzünfte ist folglich ein politischer Akt. Jede neue Zunft schafft sich sofort eine neue Hierarchie, neue Klienten und Ketzer und neue Ansprüche auf staatliche Mittel. Aber jeder neu anerkannte Legitimitätsanspruch der Experten hat auch zur Folge, daß Legislative, Judikative und Exekutive ihre eigentlichen politischen Aufgaben und ihre Unabhängigkeit verlieren. Die Belange der Allgemeinheit gehen von den drei gewählten Vertretern der Laien in die Hände einer selbstberufenen Elite über.

Als die Medizin letztlich ihre liberalen Hemmungen ablegte, intervenierte sie in die Legislative, indem sie der Öffentlichkeit allgemeingültige Normen vorschrieb. Die Ärzte hatten zwar immer bestimmt, was Krankheit ist und was nicht; heute aber bestimmt die dominierende Medizinerzunft, welche Krankheiten die Gesellschaft tolerieren darf und welche nicht. Die Ärzte hatten schon immer diagnostiziert, wer krank ist; die dominie-

rende Medizin aber brandmarkt jene, die der Behandlung bedürfen. Der freie Praktiker verschrieb eine Kur: die dominierende
Medizin aber verfügt über Zwangsmittel der Besserung; sie bestimmt, was mit den Kranken oder für sie geschehen soll. In einer
Demokratie sollte die Vollmacht des Staates, Gesetze zu erlassen, sie durchzusetzen und für allgemeine Gerechtigkeit zu sorgen, von den Staatsbürgern selbst ausgehen. Diese Kontrolle der
Bürger über die drei Gewalten wurde durch die Entstehung
kirchenähnlicher Expertenzünfte eingeschränkt, geschwächt
und manchmal ganz abgeschafft. Die Regierung des Gemeinwe-
sens durch einen Kongreß oder ein Parlament, das seine Entscheidungen auf die Expertisen solcher Spezialistenzünfte gründet, ist vielleicht Regierung für das Volk – nie aber Regierung
durch das Volk. Wir können hier nicht der Frage nachgehen, mit
welchen Absichten diese Schwächung der politischen Verfassung erfolgte; es genügt, wenn wir festhalten, daß diese Disquali-
fizierung der Laienmeinung durch die Spezialisten eine notwendige Voraussetzung für die Aushöhlung der verfassungsmäßigen
Rechte ist.

Die Freiheitsrechte des Staatsbürgers beruhen auf dem
Grundsatz, daß das Zeugnis vom Hörensagen, also aus dritter
Hand, nicht in öffentliche Entscheidungen eingehen soll. Nur
was Menschen mit eigenen Augen sehen und deuten, gilt allgemein als Grundlage verbindlicher Gesetze. Meinungen, Überzeugungen, Schlußfolgerungen oder Bekenntnisse können niemals dem Augenzeugenbericht standhalten. Die Experten-Eliten
konnten sich nur dadurch zu dominierenden Zünften entwickeln,
daß sie diesen Grundsatz nach und nach aushöhlten und schließlich geradezu umkehrten. In der Gesetzgebung wie im Gerichts-
saal ist der Grundsatz, der das Zeugnis vom Hörensagen aus-
schließt, heute de facto suspendiert – zugunsten der von Angehörigen dieser selbstberufenen Eliten vorgetragenen Meinungen
und Überzeugungen.

Wenn ein Handwerker, etwa ein Büchsenmacher, als Experte
vor Gericht erschien, um Richter und Geschworene in die Geheimnisse seines Gewerbes einzuweihen, machte er diese quasi
zu Lehrlingen seines Fachwissens. Er demonstrierte für jeden
sichtbar, aus welchem Lauf die Kugel abgefeuert wurde. Der
heute dominierende Experte bietet dem Gericht oder dem Ge-

setzgeber nicht faktische Beweise oder Fachkenntnisse, sondern lediglich die Meinung seiner Experten-Kollegen. Damit suspendiert er den Grundsatz, der das Zeugnis vom Hörensagen verbietet, und untergräbt damit die Grundlagen des Rechts. Dies aber läuft unvermeidlich auf eine Beseitigung der demokratischen Gewaltenteilung hinaus.

Die Hegemonie dekretierter Bedürfnisse

Die Experten konnten erst dann ihre dominierende Stellung erreichen und ihre entmündigende Funktion ausüben, als die Menschen bereit waren, tatsächlich als Mangel zu empfinden, was der Experte ihnen als Bedürfnis dekretierte. Die wechselseitige Abhängigkeit beider als Vormund und Mündel ist der rationalen Analyse unzugänglich, weil sie durch eine korrumpierte Sprache verschleiert wird. Gute alte Wörter werden wie Brandeisen gebraucht, mit denen der Experte seine Verfügung über die Häuser, Werkstätten und Geschäfte der Menschen, ja über den Raum und die Luft zwischen ihnen kennzeichnet. Die Sprache, das fundamentalste aller Gemeingüter, wird durch einen umständlichen Jargon verunstaltet, und jede Expertenzunft erfindet ihren eigenen. Die Sinnentleerung der Wörter, die Verstümmelung der Alltagssprache und ihre Degeneration zu bürokratischer Terminologie sind traurige, noch tiefer verletzende Begleiterscheinungen jener Enteignung, in deren Verlauf dem Menschen zunehmend seine Nützlichkeit abgesprochen wird, wenn er nicht für Profit arbeitet. Mögliche Veränderungen in der Gestalt unserer Dinge und Werkzeuge, in unseren Einstellungen und Gesetzen, die zumindest die Vorherrschaft der Experten einschränken könnten, sind unvorstellbar, solange wir nicht mehr Sensibilität für die sprachlichen Monstren entwickeln, hinter denen diese Herrschaft sich verbirgt.

Als ich sprechen lernte, gab es *Probleme* nur in der Mathematik oder beim Schach, *Lösungen* waren wäßrige Lösungen, und ein *Bedürfnis* war ein ganz spezielles Bedürfnis, dessen man sich möglichst schnell zu entledigen trachtete. Wendungen wie «Ich habe ein Problem» oder «Er hat ein Bedürfnis» klangen geradezu lächerlich. Als ich älter wurde und Hitler an seiner *Endlösung* arbeitete, gewann auch das «soziale Problem» an Bedeutung. «Problemkinder» immer neuer Schattierungen wurden bei den

Armen entdeckt, als die Sozialarbeiter gelernt hatten, ihre Objekte abzustempeln und deren «Bedürfnisse» zu normieren. Die Bedürfnisse verhalfen dem Experten zur Herrschaft. Die Armut wurde modernisiert, indem man sie in Bedürfnisse aufteilte. Im Laufe der zweiten Hälfte meines Lebens wurde es dann achtbar, ein «Bedürfnis» zu haben. Berechenbare und zugerechnete Bedürfnisse erkletterten die soziale Leiter. Es war kein Zeichen von Armut mehr, wenn man Bedürfnisse hatte. Bei steigendem Einkommen ergaben sich immer neue Bedürfnisse. Spock, Comport und die Popularisierer von Ralph Nader trainierten die Laien darauf, Lösungen einzukaufen für Probleme, die sie nach fachmännischer Gebrauchsanweisung zusammenzubasteln lernten. Das Erziehungssystem befähigte seine Absolventen, immer steilere Höhen der Knappheit zu erklimmen und dort immer ausgefallenere Bedürfnishybriden zu züchten. Die Rezepte vermehrten sich, die Kompetenzen schwanden. Die Medizin zum Beispiel verschrieb immer härtere Drogen, und die Menschen verloren den Willen und die Fähigkeit, mit einer Krankheit oder auch nur mit einer leichten Unpäßlichkeit fertig zu werden. Schätzungen besagen zum Beispiel, daß in amerikanischen Supermärkten jährlich etwa 1500 neue Produkte angeboten werden. Aber weniger als 20 Prozent davon halten sich länger als ein Jahr auf den Regalen. Der Rest erweist sich als unverkäuflich; es sind riskante, unverkäufliche Artikel oder veraltete Konkurrenten zu neueren Modellen. Zunehmend sind die Konsumenten gezwungen, Anleitung bei professionellen Konsumentenschützern zu suchen.

Ferner macht der rasche Wechsel der Produkte die Wünsche schal und flach. Paradoxerweise also fördert eine hohe Gesamtkonsumtion, wie sie aus technisch geplanten Bedürfnissen resultiert, die Indifferenz der Konsumenten gegen *spezifische*, potentiell empfundene Mängel. Zunehmend werden Bedürfnisse durch Reklamesprüche geweckt; Käufe werden getätigt auf Geheiß von Standesbeamten, Kosmetikern, Gynäkologen und Dutzenden anderer Rezepte verschreibender Diagnostiker. Das Bedürfnis, formell darüber belehrt zu werden, wessen man bedürfen soll – sei es durch Werbung, Rezept oder die angeleitete Diskussion im Kollektiv oder in der Gemeinde –, tritt in jeder Kultur auf, wo Entscheidungen und Handlungen nicht mehr das Ergebnis persönlicher Erfahrung der Bedürfnisbefriedigung sind; dem solcherart angepaßten Konsumenten bleibt nichts anderes übrig, als seine empfundenen durch gelernte Bedürfnisse zu ersetzen. In dem Maß, wie die Menschen sich von den Experten in der Kunst unterweisen lassen, wie man zu bedürfen lernt, wird die Fähigkeit, die eigenen Bedürfnisse nach erfahrener Befriedigung zu gestalten, zum Privileg der Reichen oder zur Überlebenskunst der Unterprivilegierten. In dem Maß, wie die Bedürfnisse in immer kleinere Bestandteile zergliedert werden, deren jeder durch eigene Spezialisten verwaltet wird, fällt es dem Konsumenten immer schwerer, die verschiedenen Angebote seiner verschiedenen Vormünder zu einem sinnvollen Ganzen zu integrieren, das mit Nachdruck begehrt und mit Freude genossen werden könnte. Die Vermögensverwalter, Lebensberater, Bewußtseinserweiterer, Berufsberater, Ernährungsfachleute, Sensibilitätstrainer und dergleichen Gurus erkennen die Chancen für ein cleveres Management und sind sofort zur Stelle, um der industriellen Stapelware differenzierte Bedürfnisse gegenüberzustellen.

Die eigenen Bedürfnisse nicht zu kennen oder etwa nicht an sie zu glauben, kommt einem antisozialen Akt gleich. Ein guter Bürger ist derjenige, der sich mit solcher Überzeugung zu standardisierten Bedürfnissen bekennt, daß er jeden Wunsch nach Alternativen, gar nach Zurückweisung des Bedürfnisses, in sich erstickt.

Um die Zeit, als ich zur Welt kam, noch bevor Stalin, Hitler und Roosevelt an die Macht kamen, sprachen nur die Reichen, die Hypochonder und die Angehörigen der Elite von ihrem Bedürfnis nach ärztlicher Pflege, sobald ihre Temperatur um ein paar Grade stieg. Die Ärzte konnten ihnen damals nicht viel mehr bieten, als auch Großmutter es tat. In der Medizin erfolgte die erste Mutation der Bedürfnisse mit der Einführung der Sulfonamide und Antibiotika. Als die Versorgung von Infektionskrankheiten zur einfachen, wirksamen Routine wurde, wurden immer mehr Drogen rezeptpflichtig. Die Zuweisung der Krankenrolle wurde ein ärztliches Monopol. Nun mußte, wer sich krank fühlte, ins Krankenhaus gehen, um sich mit einer Krankheitsbezeichnung etikettieren und sich zum legitimen Mitglied der Minorität der sogenannten Kranken erklären zu lassen: damit war er von der Arbeit freigestellt, hatte Anspruch auf Hilfe, unterstand den Befehlen des Arztes und war verpflichtet, rasch gesund zu werden, um wieder nützlich zu sein. Als die pharmakologischen Techniken – Tests und Chemikalien – so sicher, wirksam und billig wurden, daß man auf den Arzt hätte verzichten können, erließ die Gesellschaft paradoxerweise Gesetze und Vorschriften, um den freien Gebrauch dieser durch die Wissenschaft vereinfachten Verfahren einzuschränken, und setzte sie auf die Liste der rezeptpflichtigen ärztlichen Maßnahmen.

Die zweite Mutation der medizinischen Bedürfnisse trat ein, als die Kranken aufhörten, eine Minderheit zu sein. Heute können sich nur wenige für längere Zeit den Anweisungen des Arztes entziehen. In Italien, USA, Frankreich oder Belgien wird jeder zweite Bürger von verschiedenen Gesundheitsexperten gleichzeitig gewartet, die ihn oder sie behandeln, beraten oder wenigstens untersuchen. Gegenstand solcher besonderen Fürsorge ist meist der Zustand seiner Zähne, ihres Uterus, seines oder ihres Hormonspiegels oder Blutdrucks – Dinge also, die der Patient selbst nicht spürt. Die Patienten sind nicht mehr in der Minderheit.

In der Minderheit sind heute jene, die sich irgendwie jeder Patientenrolle entziehen. Diese Minderheit besteht aus den Armen, den Bauern, den Neueinwanderern und Arbeitsemigranten – und manchen anderen, die, manchmal sogar aus eigenem Entschluß, für die Medizin unerreichbar sind. Vor erst zwanzig Jahren war es ein Zeichen von allgemeiner Gesundheit – und damals galt das als gut! –, ohne einen Arzt auszukommen. Der gleiche Status des Nicht-Patienten ist heute ein Zeichen der Unterprivilegiertheit oder Abweichung. Selbst der Status des Hypochonders hat sich gewandelt. Noch in den vierziger Jahren bezeichneten Ärzte jene eingebildeten Kranken als Hypochonder, die in ihren Praxen die Klinken putzten. Heute belegen die Ärzte jene Minderheit, die vor ihnen flieht, mit der gleichen Bezeichnung: Hypochonder sind die eingebildeten Gesunden. Als lebenslanger Patient ans System der Expertenmedizin gekettet zu sein, ist nicht mehr ein Stigma, das einst den Invaliden von der Gesamtheit der Bürger schied. Heute leben wir in einer Gesellschaft, die für abweichende Majoritäten und ihre Wächter organisiert ist. Ein aktiver Klient verschiedener Experten zu sein, das verleiht dir einen wohldefinierten Platz im Reich der Konsumenten, für deren Wohl unsere Gesellschaft funktioniert.

So hat die Wandlung der Medizin vom beratenden freien Beruf zur dominierenden, entmündigenden Expertenzunft die Zahl der Bedürftigen ins Unermeßliche vermehrt.

In diesem kritischen Augenblick machen die dekretierten Bedürfnisse eine dritte Mutation durch. Sie verschmelzen zu dem, was die Experten ein multidisziplinäres Problem nennen, das daher im Zusammenwirken mehrerer Experten gelöst werden muß. Zuerst trainierte die Vervielfachung der Waren – jede tendenziell unabdingbar für das moderne Leben – die Konsumenten wirksam darauf, Bedürfnisse nach Befehl zu entwickeln. Sodann machte die progressive Fragmentierung der Bedürfnisse in immer kleinere, unverbundene Teile den Klienten abhängig vom Urteil des Experten, der seine disparaten Bedürfnisse zu einem sinnvollen Ganzen zu mischen hatte. Die Autoindustrie bietet ein gutes Beispiel: Ende der sechziger Jahre bot die Reklame eine ungeheure Vielfalt von «sinnvollem Zubehör» an, das notwendig war, um die Standardausführung eines Ford begehrenswert zu machen. Aber im Gegensatz zu den Erwartungen des Kunden werden diese wahlfreien Kinkerlitzchen tatsächlich in Detroit am Fließband montiert, und der Käufer in Plains hat nur die Wahl zwischen wenigen standardisierten Mustern, die willkürlich an die Händler geliefert werden: er kann entweder die Limousine haben, die er wollte, aber mit grünen Sitzen, die er abscheulich findet; oder er kann seine Freundin mit Leopardenfellsitzen imponieren – aber er muß ein Kabriolett mit Hardtop und montiertem Kassettendeck nehmen.

Schließlich wird der Klient darauf abgerichtet, sich von Expertenteams warten zu lassen, um in den Genuß dessen zu kommen, was seine Wärter eine «befriedigende Behandlung» nennen. Persönliche Dienstleistungen zum Wohl des Konsumenten sind ein Beispiel dafür. Therapien im Überfluß überschwemmen das Leben des einzelnen, und die dienstleistenden Experten reden ihm ein, daß er ihrer noch mehr bedürfe. Die Intensität der Dienstleistungswirtschaft hat die Zeit, die der Mensch für den Konsum pädagogischer, medizinischer und sozialer Therapien benötigt, zunehmend verknappt. Zeitknappheit aber könnte bald zum größten Hindernis für den Konsum der vorgeschriebenen, häufig öffentlich finanzierten Expertendienste werden. Solche Zeitknappheit zeigt sich bereits im frühen Lebensalter.

Schon im Kindergarten ist das Kind der Maßregelung durch ein Team ausgesetzt, bestehend aus Spezialisten wie Allergiefacharzt, Sprachpathologe, Pädiater, Kinderpsychologe, Sozialarbeiter, Turnlehrer, Lehrer und Kindergärtnerin. Mit dem Zusammenschluß zu einem solchen pädokratischen Team versuchen die einzelnen Experten, die Zeit herauszuschinden, die mittlerweile die entscheidende Beschränkung für die Zuweisung weiterer Bedürfnisse ist. Beim Erwachsenen ist es nicht die Schule, sondern der Arbeitsplatz, wo er dem massiven Druck standardisierter Dienstleistungen ausgesetzt ist. Die Personalchefs, Berufslehrer, Schulungsleiter, Versicherungsfachleute, Bewußtseinstrainer finden es profitabler, die Zeit des Arbeiters gemeinsam zu nutzen, statt um sie zu rivalisieren. Ein bedürfnisloser Bürger wäre höchst verdächtig. Den Menschen wird eingeredet, daß sie ihre Jobs brauchen, und zwar weniger des Lohns wegen, sondern wegen der Dienstleistungen, auf die sie damit Anrecht haben. Die Werksküche gehört schon bald der Vergangenheit an, und sie wird ersetzt durch eine Plastikplazenta, die durch die Dienstleistungen der Experten versorgt wird. In der weltweiten Intensivstation erstirbt das Leben.

Kontraproduktivität als Folge der Zerstörung von Gebrauchswerten

Die Entmündigung des Bürgers durch die Herrschaft der Experten wird vervollkommnet durch die Macht der Illusion. Hoffnungen auf religiöses Heil werden ersetzt durch Erwartungen, die sich auf den Staat als obersten Verwalter der Expertendienste richten. Jede der vielen Spezialpriesterschaften beansprucht die Vollmacht, die Bedürfnisse der Öffentlichkeit als spezifisch bedienbare Probleme zu definieren. Die Anerkennung dieses Anspruchs durch die Laien legitimiert deren fügsames Sichabfinden mit dem ihnen dekretierten Mangel, und ihre Welt verwandelt sich in eine Echokammer der Bedürfnisse. Dieses Herrschaftsverhältnis zwischen Laien und Experten drückt sich auch in der «Skyline» der modernen Stadt aus. Die Burgen der Experten blicken herab auf die Menge, die sich zwischen ihnen drängt, um die Silos der Gesundheit, der Erziehung und der Wohlfahrt anzuzapfen. Aus gesunden Wohnungen werden hygienische Appartements, in denen man nicht anständig geboren werden, krank werden oder sterben kann. Nicht nur die hilfreichen Nachbarn sind zu aussterbenden Spezies geworden, mit den Ärzten, die als freie Praktiker noch Hausbesuche machten, ist es genauso gegangen. Aus Arbeitsplätzen, an denen man seine Lehre machen kann, sind labyrinthische Korridore geworden, auf denen man nur noch irgendwelchen Funktionären begegnet, deren «Identität» vom Plastikschildchen am Revers abzulesen ist.

Die unwiderstehliche Sucht der Reichen nach künstlich geschaffenen Bedürfnissen und die lähmende Faszination der Armen durch die unerreichbaren Mittel zur Befriedigung solcher Bedürfnisse wären irreversibel, wenn die Leute sich tatsächlich dem Kalkül der Bedürfnisplanung anpaßten. Aber dies ist nicht der Fall. Jenseits einer gewissen Intensitätsschwelle schafft die Medizin Hilflosigkeit und Krankheit; Erziehung wird zur Hauptursache einer entmündigenden Arbeitsteilung; schnelle Transportsysteme sorgen dafür, daß die Stadtbewohner etwa ein Sechstel ihrer wachen Zeit als Passagiere verbringen, während sie einen ähnlichen Teil ihrer Zeit als Arbeitssklaven im Dienst von Ford, Esso und der Autosteuer und -versicherung malochen. Die Schwelle, wo Medizin, Erziehung oder Transport sich in kontraproduktive Werkzeuge verwandeln, ist in allen Ländern der Welt erreicht, die ein Pro-Kopf-Einkommen in ähnlicher Höhe wie etwa Kuba haben. In allen Ländern, die ich untersucht habe, steht diese spezifische Kontraproduktivität – ganz im Gegensatz zu den Illusionen, wie sie die Orthodoxien in Ost und West propagieren – in keinem Zusammenhang mit der *Art* der dort üblichen Schulen, Fahrzeuge oder Gesundheitsorganisationen. Vielmehr setzt sie ein, sobald die Kapitalintensität der Produktion eine kritische Schwelle überschreitet.

Unsere großen Institutionen haben die beängstigende Eigenschaft, gerade jene Zwecke, für die sie ursprünglich geplant und finanziert wurden, ins Gegenteil zu verkehren. Unter der Führung hochangesehener Experten produzieren unsere institutionellen Werkzeuge hauptsächlich paradoxe Kontraproduktivität – nämlich die systematische Entmündigung des Staatsbürgers. Eine ganz nach den Bedingungen des Autos gebaute Stadt bietet keinen Platz für den Gebrauch der eigenen Füße, und keine

Vermehrung der Autos reicht aus, um die geplante Unbeweglichkeit ihrer verkrüppelten Einwohner zu überwinden. Das autonome Handeln wird durch den Überfluß an Waren und Therapien gelähmt. Die Unfähigkeit, Gebrauchswerte zu schaffen, macht schließlich die Waren, die diese doch ersetzen sollten, kontraproduktiv. Die Dienste des Autos, des Arztes, der Schule oder des Managers sind Waren, die für den Konsumenten zu destruktiven Plagen geworden sind – und Gewinn bringen sie nur dem Lieferanten solcher Dienste.

Warum aber gibt es keine Rebellion gegen die Entwicklung der Industriegesellschaft zu einem einzigen riesigen, entmündigenden Dienstleistungssystem? Die Erklärung dafür müssen wir hauptsächlich in der Illusionen erzeugenden Kraft dieses Systems suchen. Denn seine Institutionen verrichten nicht nur technische Eingriffe an Körper und Seele, sondern sie fungieren auch als machtvolles Ritual, das den Versprechungen ihrer Manager Glaubwürdigkeit verleiht. Die Schule lehrt den kleinen Hans nicht nur Lesen und Schreiben, sondern sie lehrt ihn auch, daß das Lernen bei einem Lehrer «besser» ist und daß ohne Schulpflicht weniger Bücher von den Armen gelesen würden. Der Bus und die Limousine bieten nicht nur Fortbewegung, sondern sie verändern die Umwelt und machen das Gehen auf eigenen Beinen unmöglich. Die Anwälte helfen nicht nur dem kleinen Sünder aus der Patsche, sondern sie verbreiten auch die Vorstellung, daß Probleme durch Gesetze zu lösen wären. Zunehmend besteht die Funktion unserer großen Institutionen darin, diese drei Illusionen zu nähren und zu erhalten, die den Staatsbürger zum Klienten machen, der dann durch die Experten gerettet werden muß.

Verselbständigung der Waren und Paralysierung des Handelns
Die erste versklavende Illusion ist die Vorstellung, die Leute würden als Konsumenten geboren und könnten irgendeines ihrer Ziele erreichen, indem sie Güter und Dienstleistungen einkaufen. Diese Illusion ist bedingt durch eine anerzogene Blindheit für den Nutzen der Gebrauchswerte für die Gesamtwirtschaft. In keinem der ökonomischen Modelle, die als Richtlinien nationaler Politik dienen, gibt es eine Variable, welche die nicht marktbaren Gebrauchswerte erfaßt; wie es auch keine Variable

für den kontinuierlichen Beitrag der Natur gibt. Und doch müßte jede Volkswirtschaft sofort zusammenbrechen, wenn die Produktion von Gebrauchswerten einen bestimmten Punkt unterschritte; wenn zum Beispiel Hausarbeit gegen Entlohnung oder Geschlechtsverkehr nur für ein Honorar verrichtet würde. Alles, was die Menschen tun oder schaffen, ohne es zum Verkauf feilbieten, ist von ebenso unermeßlichem Wert für die Volkswirtschaft wie der Sauerstoff, den sie atmen.

Die Illusion, daß die ökonomischen Modelle die Gebrauchswerte ignorieren könnten, entspringt der Annahme, daß solche Aktivitäten, die wir mit intransitiven Verben bezeichnen, endlos durch institutionell definierte und mit Substantiven bezeichnete Stapelwaren ersetzt werden könnten. Erziehung ersetzt «Ich lerne»; Gesundheitsversorgung ersetzt «Ich gesunde»; Transport ersetzt «Ich bewege mich»; das Fernsehen ersetzt «Ich spiele».

Die Verwechslung der persönlichen Werte mit standardisierten Waren erfaßt beinahe alle Bereiche. Unter Anleitung der Experten werden die Gebrauchswerte abgeschafft, obsolet gemacht und schließlich ihres eigentlichen Wesens beraubt. «Institutionelle Versorgung» und «Liebe» sind dann synonym. Zehn Jahre Erfahrung als Farmer können dann in einen pädagogischen Multimix gestopft und einem Fachschuldiplom gleichgesetzt werden. Was die Kinder zufällig auf der Straße aufschnappen und aushecken, gilt als zusätzliche «Bildungserfahrung» neben den Dingen, die die Schule ihnen eintrichtert. Die Wissensbuchhalter verkennen die Tatsache, daß diese beiden Aktivitäten sich – wie Öl und Wasser – nur dann vermischen, wenn sie durch den Begriffsapparat des Erziehers destilliert sind. Die Räuberbanden der Bedürfnismacher könnten nicht fortfahren, unsere Steuergelder und die Ressourcen von Natur und Wirtschaft für ihre Testverfahren, Kommunikationsnetze und andere technische Spielereien zu verschleudern, wenn unsere autonome Bedürfnisbefriedigung nicht paralysiert wäre.

Der Nutzen von marktbaren Stapelwaren ist im wesentlichen durch zwei Schranken begrenzt, die nicht zu verwechseln sind: zum einen werden die Schlangen der wartenden Konsumenten früher oder später den Betrieb jedes Systems zusammenbrechen lassen, das Bedürfnisse schneller produziert als die entsprechenden Waren; und zweitens wird die Abhängigkeit von Waren früher oder später die Bedürfnisse derart determinieren, daß die autonome Produktion eines funktionalen Gegenwerts paralysiert wird. Der Nutzen der Waren ist also durch Stockung und durch Paralyse begrenzt. Verstopfung und Paralyse sind beides Resultate der eskalierenden Produktion in einem Wirtschaftssektor – wenngleich Resultate sehr unterschiedlicher Art. Die Verstopfung, die ein Maßstab für die Verselbständigung der Waren ist, erklärt, warum der Massentransport mittels privater Autos in Manhattan nutzlos ist; sie erklärt aber nicht, warum die Menschen schwer arbeiten, um Autos zu kaufen und zu versichern, in denen sie sich nicht fortbewegen können. Und noch weniger läßt sich allein aus der Verstopfung erklären, warum die Menschen so abhängig von Fahrzeugen werden, daß sie paralysiert sind und ihre Füße nicht mehr gebrauchen können.

Die Menschen werden zu Gefangenen zeitraubender Beschleunigung, verdummender Erziehung und krankmachender Medizin, weil die Abhängigkeit von verfassungsmäßig garantierten Industriegütern und Expertendiensten – jenseits einer gewissen Intensitätsschwelle – die menschlichen Möglichkeiten zerstört, und zwar auf spezifische Weise: Denn nur bis zu einem gewissen Punkt können Waren das ersetzen, was die Menschen von sich aus tun und schaffen. Nur innerhalb gewisser Grenzen können Tauschwerte die Gebrauchswerte befriedigend ersetzen. Über diesen Punkt hinaus dient die weitere Produktion den Interessen der Produzenten und Experten – die dem Konsumenten das Bedürfnis eingeredet haben – und läßt den Konsumenten berauscht und beschwindelt, wenn auch reicher zurück. Ob Bedürfnisse wirklich befriedigt, nicht nur abgespeist werden, bemißt sich an dem Vergnügen, das mit der Erinnerung an persönliches, autonomes Handeln verbunden ist. Es gibt Grenzen, über die hinaus die Waren nicht vermehrt werden können, ohne daß sie den Konsumenten zu dieser Selbstbeschäftigung im autonomen Handeln unfähig machten.

Massengüter allein frustrieren den Konsumenten, wenn ihre Lieferung ihn an der Produktion von Gebrauchswerten hindert. Der Maßstab für das Wohl einer Gesellschaft läßt sich also niemals in Form einer Gleichung ermitteln, bei der diese beiden Produktionsweisen, die Herstellung von Gebrauchswerten und die von Waren, einfach addiert werden; vielmehr ist es eher ein Gleichgewicht, das sich herstellt, wenn Gebrauchswerte und Waren sich in fruchtbarem Zusammenwirken der beiden Produktionsweisen ergänzen. Aber heute werden die Zwecke, für die Gebrauchswerte wie Waren bestimmt waren, paradox verkehrt. Manchmal wird dies nicht klar erkannt, weil die Hauptströmung der ökologischen Bewegung diesen Sachverhalt ausklammert. Atomreaktoren zum Beispiel werden allgemein kritisiert, weil ihre Strahlung gefährlich ist oder weil sie technokratische Kontrollen begünstigen. Bislang wagen aber nur wenige sie zu kritisieren, weil sie zur weiteren Energieschwemme beitragen. Die Paralyse menschlichen Handelns durch gesellschaftlich hyperkritische Energiemengen wird noch nicht als Argument akzeptiert, um die Nachfrage nach Energie zu verringern. Ähnlich werden die unvermeidlichen Wachstumsschranken, die in jeder Dienstleistungsagentur angelegt sind, immer noch weitgehend übersehen. Und doch sollte klar sein, daß die Institutionalisierung der Gesundheitsversorgung die Menschen zu kranken Marionetten macht; oder daß lebenslange Erziehung eine Kultur des programmierten Menschen fördert. Die Ökologie kann nur dann Richtlinien für eine machbare Moderne entwickeln, wenn sie erkennt, daß ein vom Menschen gemachtes Milieu, das ganz auf die Ware eingestellt ist, seinen Wert als Mittel der persönlichen Befriedigung verliert. Ohne diese Einsicht könnte eine saubere, weniger aggressive Industrietechnologie auch dazu eingesetzt werden, um heute unvorstellbare Grade der frustrierenden Bereicherung anzustreben. Der Hauptgrund, warum marktintensive Produktion zur Kontraproduktivität führt, ist in der Beziehung zwischen dem Monopol der Waren und den menschlichen Bedürfnissen zu suchen. Dieses Monopol erstreckt sich weiter als das, was üblicherweise mit diesem Namen bezeichnet wird. Ein kommerzielles Monopol beherrscht lediglich den Markt für eine Whisky- oder Automarke. Ein die ganze Industrie umfassendes Kartell kann eine weitere Einschränkung der Freiheit verfügen; es kann allen Massentransport zugunsten privater Autos einschränken, wie General Motors es machte, als sie die Straßenbahn von San Francisco kaufte und anschließend eingehen ließ. Dem einen Monopol kann man sich entziehen, indem man Rum trinkt; dem zweiten, indem man ein Fahrrad kauft. Ich gebrauche das Wort «radikales Monopol», um einen anderen Sachverhalt zu bezeichnen: nämlich die Substitution autonomer Bedürfnisbefriedigung durch ein Industrieprodukt oder eine Expertendienstleistung. Ein radikales Monopol paralysiert das autonome Handeln zugunsten der Lieferanten von Expertendiensten. Je kompletter Fahrzeuge die Menschen voneinander trennen, desto geringer wird man Verkehrsspezialisten brauchen und desto unfähiger werden die Leute sein, auf ihren eigenen Beinen nach Hause zu gehen. Dieses radikale Monopol wäre sogar dann eine Begleiterscheinung schneller Transportmittel, wenn diese durch Sonnenstrahlung oder durch Luft angetrieben würden. Je länger der einzelne im Machtbereich der Erzieher verweilt, desto weniger Zeit bleibt ihm fürs Schmökern in Büchern und eigene, überraschende Entdeckungen. An irgendeinem Punkt in jedem Bereich zerstört die schiere Menge der gelieferten Waren die Bedingungen für persönliches Handeln, und zwar in einem Maße, daß das mögliche Zusammenwirken von Gebrauchswerten und Waren negativ wird. Dann setzt die paradoxe oder spezifische Kontraproduktivität ein. Ich gebrauche diesen Begriff überall da, wo die Substitution eines Gebrauchswertes durch eine Ware über eine kritische Schwelle hinaus die Ware geradezu ihres eigenen Wertes beraubt.

Die Ideologie der technologischen Imperative

Das entscheidende Merkmal der Spezies Mensch zu seiner geschichtlichen Entwicklung besteht darin, seine eigenen Bedürfnisse formen zu können, und zwar im mehr oder minder kompetenten Gebrauch seiner Werkzeuge, die seine Kultur ihm bietet. Diese gattungsgeschichtliche erworbene Fähigkeit droht er heute mehr und mehr zu verlieren. In aller Geschichte waren Werkzeuge arbeitsintensive Mittel, die der Mensch in der häuslichen Produktion einsetzte, um seine Bedürfnisse zu befriedigen. Nur am Rande wurden Schaufel und Hammer auch benutzt, um Vorräte für den Austausch von Geschenken zu produzieren. Noch seltener wurde für den Verkauf gegen Geld produziert. Zum Profitmachen gab es nur wenig Gelegenheit. Die meiste Arbeit wurde verrichtet, um nicht zum Tausch bestimmte Gebrauchswerte zu schaffen. Aber der technische Fortschritt entwickelte nach und nach eine ganz andere Art Werkzeuge: so wurde das Werkzeug zunehmend primär für die Produktion von marktbaren Waren eingesetzt. Zuerst, während der industriellen Revolution, reduzierte die Verwendung neuer Technologien den Arbeiter am Arbeitsplatz zu einem Charlie Chaplin aus ‹Modern Times›. In diesem frühen Stadium aber waren die Menschen noch nicht von der industriellen Produktionsweise gänzlich abhängig. Jetzt finden Männer und Frauen, die nahezu gänzlich von Lieferungen standardisierter Fragmente (produziert von Werkzeugen, die von anonymen anderen bedient werden) abhängig sind, nicht mehr die gleiche Befriedigung im Gebrauch der Werkzeuge, die die Entwicklung des Menschen und seiner Kultur beflügelt hat. Obwohl ihre Bedürfnisse und ihr Konsum um mehrere Größenordnungen gestiegen sind, nimmt ihre Befriedigung im Gebrauch der Werkzeuge ab, und sie hören auf, das Leben zu leben, das dem menschlichen Organismus angemessen wäre. Bestenfalls können sie, inmitten von glitzerndem Überfluß, soeben überleben. Die Lebensspanne des Menschen wird zur kumulativen Aneinandersetzung von Bedürfnissen, die im Namen eines hektischen Strebens nach Befriedigung notdürftig abgespeist werden. Letztlich verliert der Mensch als passiver Konsument sogar die Fähigkeit, zwischen Leben und bloßem Überleben zu unterscheiden. Das Hazardspiel der sozialen Sicherheit, die frohlockende Erwartung von Konsumrationen und Therapien, tritt an die Stelle von Genuß. In so einer Gesellschaft kann man leicht vergessen, daß Befriedigung und Freude nur entstehen, solange lebendige Aktivität und geplante Vorkehrungen sich beim Verfolg eines Ziels im Gleichgewicht halten.

Es ist ein Trugschluß zu glauben, daß der technische Fortschritt ein machbares Industrieprodukt sei und Werkzeuge, um erfolgreich bestimmten Zwecken dienen zu können, unvermeidlich komplexer und unkontrollierbarer werden müßten. Daher hat es den Anschein, als seien die modernen Werkzeuge zwangsläufig auf hochspezialisierte Arbeiter angewiesen, denen sie – auf Grund ihrer Schulung – einzig anvertraut werden dürften. Tatsächlich trifft meist das Gegenteil zu. Denn je komplizierter und spezifischer die Techniken werden, desto weniger Fachkenntnis verlangt ihre Bedienung. Sie erfordern nicht mehr jenes Vertrauen auf seiten des Klienten, auf dem die Autonomie des freien Praktikers und auch die des Handwerkers beruhte. Mit fortschreitender Entwicklung der Medizin setzt ein immer geringerer Bruchteil aller nachweislich wirksamen Verfahren bei einem intelligenten Menschen, der sie anwendet, ein höheres Studium voraus. Die Bezeichnung «technischer Fortschritt» sollten wir daher für solche Fälle reservieren, wo neue Werkzeuge die Möglichkeiten und die Leistungsfähigkeit einer größeren Menschengruppe erweitern, besonders wenn diese neuen Werkzeuge die autonome Produktion von Gebrauchswerten fördern.

Daß jede neue Technologie vom Monopol der Experten erfaßt wird, ist nicht unvermeidlich. Die großen Erfindungen des letzten Jahrhunderts, neue Metallegierungen, das Kugellager, etliche Baustoffe, elektrische Schaltungen, einige Untersuchungsverfahren und Arzneien sind für beides geeignet: für die Verstärkung der heteronomen wie der autonomen Produktionsweise. Tatsächlich aber wurden die meisten neuen Technologien nicht in konviviale Geräte eingebaut, sondern in marktorientierte institutionelle Komplexe. Die Experten nutzten stets die industrielle Produktionsweise zur Errichtung eines radikalen Monopols, denn die Technologie ist offenbar geeignet, den jeweiligen Zwecken ihrer Manager zu dienen. Durch diese Auffassung vom technischen Fortschritt wird die – durch die Paralyse der Gebrauchswertproduktion bedingte – Kontraproduktivität gefördert.

Es gibt keinen simplen «technologischen Imperativ», der es notwendig machte, daß das Kugellager in Motorfahrzeugen Verwendung findet, oder daß die Elektronik benutzt wird, um das menschliche Gehirn zu kontrollieren. Die Institutionen des Schnellverkehrs oder der Psychohygiene sind nicht notwendige Resultate des Kugellagers oder der elektronischen Schaltungen. Ihre Funktionen sind durch die Bedürfnisse bestimmt, denen sie angeblich dienen – nämlich Bedürfnisse, die zum überwiegenden Teil von den entmündigenden Experten erfunden und zudiktiert werden. Diesen Umstand scheinen die radikalen Jungtürken in den Expertenzünften zu übersehen, wenn sie ihre Loyalität gegenüber den Institutionen damit legitimieren, daß sie sich als öffentlich bestallte Sachwalter des zu domestizierenden technischen Fortschritts darstellen.

Die gleichen blinden Anhänger der Fortschrittsidee begreifen technische Planung prinzipiell als Voraussetzung für die Effektivität der Institutionen. Die wissenschaftliche Forschung wird großzügig finanziert, aber nur, wenn sie für militärische Zwecke oder für die weitere Herrschaft der Experten eingesetzt werden kann. Legierungen, aus denen man haltbarere und leichtere Fahrräder bauen kann, sind das Nebenprodukt von Forschungen, die Düsenflugzeuge schneller und Waffensysteme tödlicher machen sollen. Die meisten Forschungsergebnisse aber gehen ausschließlich in die industriellen Werkzeuge ein und machen dadurch Maschinen von bereits riesigem Ausmaß noch komplexer und unkontrollierbarer. Dieses Vorurteil im Denken der Naturwissenschaftler und Ingenieure verstärkt einen bedeutenden Trend: das Bedürfnis nach autonomem Handeln wird ignoriert, während die Bedürfnisse nach Waren, die man besitzen kann, vervielfacht werden. Konviviale Werkzeuge, die dem einzelnen den Genuß von Gebrauchswerten ermöglichen – und zwar ohne oder mit nur minimaler Beaufsichtigung durch Polizisten, Ärzte oder Inspektoren –, verteilen sich auf zwei Extreme: arme Arbeiter in Asien und reiche Studenten und Professoren im Westen sind bald die beiden einzigen Menschengruppen, die Fahrrad fahren. Wahrscheinlich ohne sich ihres Glücks bewußt zu sein, sind beide frei von dieser letzteren Illusion.

In jüngster Zeit gehen Gruppen von aufgeschlossenen Experten, Regierungsbehörden und internationale Organisationen daran, kleine, intermediäre Technologien zu erforschen, zu entwickeln und zu propagieren. Diese Bemühungen lassen sich als Versuch begreifen, die eher vulgären Konsequenzen eines technologischen Imperativs zu vermeiden. Aber die meisten neuen Technologien, bestimmt zur Selbsthilfe bei der Gesundheitspflege, Erziehung oder beim Hausbau, sind nur Alternativmodelle zur intensiven Abhängigkeit von Waren – so etwa wurden Experten aufgefordert, eine neuartige Hausapotheke zu entwickeln, die es den Leuten ermöglicht, den Anweisungen des Arztes per Telefon zu folgen. Frauen werden darin unterwiesen, ihre Brust zu untersuchen, um dem Arzt Arbeit zu geben. Kubaner erhalten bezahlten Urlaub, um ihre vorfabrizierten Fertighäuser aufzustellen. Das verlockende Prestige immer billigerer Expertenprodukte führt dazu, daß arm und reich sich immer mehr angleichen: Bolivianer wie Schweden fühlen sich gleich rückständig, unterprivilegiert und ausgebeutet, sobald sie ohne Beaufsichtigung eines diplomierten Lehrers lernen, ohne die *check-ups* eines Arztes gesund bleiben und sich ohne motorisierte Krücken fortbewegen.

Privilegien und Rechte

Die dritte entmündigende Illusion ist die Suche nach Experten der Wachstumsbegrenzung. Ganze Bevölkerungsgruppen, die durch eine entsprechende Sozialisation darauf abgerichtet wurden, auf Befehl Bedürfnisse zu entwickeln, sind inzwischen angeblich reif, sich sagen zu lassen, wessen sie nicht bedürfen. Dieselben multinationalen Kartelle, die noch vor einer Generation Armen wie Reichen einen internationalen Standard für Buchhaltung, Körperpflege und Energieverbrauch aufnötigten, finanzieren heute den Club of Rome. Willig übernimmt auch die UNESCO ihre Rolle in diesem Schauspiel und bildet Experten für die Regionalisierung dekretierter Bedürfnisse aus. Die intelligenteren unter den neuen Experten erkennen klar, daß die zunehmende Knappheit die Kontrollen über die Bedürfnisse immer mehr verschärft. Die zentrale Planung optimaler Dezentralisierung ist zum anspruchsvollsten Job der späten siebziger Jahre geworden. Was die Leute allerdings nicht erkennen, ist der Umstand, daß diese neue Illusion einer Rettung durch von Experten dekretierte Grenzen zur Verwechslung von Privilegien und Rechten führt.

In jeder der sieben von der UNO definierten Weltregionen wird ein neuer Klerus herangebildet, der den angemessenen, von den neuen Bedürfnis-Planern kreierten Stil der Genügsamkeit predigen soll. Bewußtseinstrainer streifen durch die Gegend und überreden die Leute, die ihnen zugewiesenen, dezentralisierten Produktionsziele zu erfüllen. Die Geiß der Familie zu melken, war früher ein Privileg – bis eine rücksichtslosere Planung es zur Pflicht machte, mit der ein Beitrag zum Bruttosozialprodukt geleistet werden soll.

Das Zusammenspiel von automer und heteronomer Produktion drückt sich im Gleichgewicht zwischen den Privilegien und Rechten einer Gesellschaft aus. Die Privilegien schützen den Gebrauchswert, während die Rechte den Zugang zur Ware sichern. Und ähnlich wie die Ware die Möglichkeit der Gebrauchswertproduktion auslöschen und zu verarmendem Reichtum führen kann, so kann die Definition von Rechten durch den Experten Privilegien auslöschen und zu einer Tyrannei führen, in der die Menschen an ihren Rechten ersticken.

Diese Verwirrung zeigt sich besonders deutlich am Beispiel der Gesundheitsexperten. Gesundheit umfaßt zwei Aspekte: Privilegien und Rechte. Das Wort «Gesundheit» bezeichnet einen autonomen Freiraum, innerhalb dessen der Mensch seine eigene biologische Verfassung und die Bedingungen seiner unmittelbaren Umwelt zu kontrollieren vermag. Einfach gesagt, Gesundheit ist identisch mit dem Grad der gelebten Freiheit. Deshalb sollten die für das öffentliche Wohl Verantwortlichen sich bemühen, eine gerechte Verteilung von Gesundheit – als Freiheit – zu gewährleisten, die wiederum von Umweltbedingungen abhängig ist, die nur durch organisierte politische Bemühungen erreichbar sind. Jenseits einer gewissen Intensitätsschwelle aber muß die Gesundheitsversorgung durch Experten, mag sie noch so gerecht verteilt sein, Gesundheit-als-Freiheit ersticken. In diesem fundamentalen Sinn geht es bei der Vorsorge für die Gesundheit um den Schutz von Freiheitsprivilegien.

Es ist klar, daß eine solche Auffassung von Gesundheit prinzipiell unabdingbare Privilegien in den Mittelpunkt stellt. Wollen wir dies verstehen, so müssen wir eindeutig zwischen bürgerlichen Privilegien und Bürgerrechten unterscheiden. Das Privileg, ohne Beschränkung durch den Staat zu handeln, bietet der Freiheit weiteren Spielraum als die Bürgerrechte, die der Staat möglicherweise durchsetzt, um den Menschen gleichen Zugang zu gewissen Gütern und Dienstleistungen zu garantieren.

Privilegien zwingen den anderen in der Regel nicht, nach meinen Wünschen zu handeln. Ich habe das Privileg, meine Meinung zu äußern und zu veröffentlichen, aber keine Zeitung ist verpflichtet, sie zu drucken, wie auch meine Mitbürger nicht verpflichtet sind, sie zu lesen. Es steht mir frei, zu malen, was ich als schön empfinde, aber kein Museum muß mein Gemälde kaufen. Gleichzeitig aber kann der Staat als Garant solcher Privilegien Gesetze erlassen und durchsetzen, die allen Bürgern gleiche Rechte zugestehen, ohne die sie ihre Privilegien nicht genießen könnten. Diese Rechte verleihen der Gleichheit der Menschen Sinn und Realität, während Privilegien der Freiheit Spielraum und Gestalt geben. Der sicherste Weg, die Privilegien der freien Rede, des Lernens oder des Heilens auszulöschen, besteht darin, sie von Bürgerrechten in Bürgerpflichten zu verwandeln. Denn diese dritte Illusion liegt gerade in dem Glauben, die vom Staat geförderte Einhaltung von Rechten führe unvermeidlich zum Schutz von Privilegien. Aber je mehr die Gesellschaft ihre Experten legitimiert, die Rechte des Bürgers zu legitimieren, desto mehr verflüchtigen sich seine Privilegien.

Nützliche Arbeitslosigkeit: eine gesellschaftliche Alternative

Gegenwärtig ist es so, daß jedes von den Experten attestierte Bedürfnis früher oder später in ein Recht umgewandelt wird. Der politische Zwang, jedes dieser Rechte auch durchzusetzen, schafft immer neue Lohnarbeitsverhältnisse (Jobs) und Waren. Jede neue Ware aber zerstört eine Aktivität, mit der die Menschen bislang aus eigener Kraft ihr Leben meisterten; jeder neue Job macht eine Arbeit illegal, die bislang von den Unbeschäftigten verrichtet wurde. Die Vollmacht der Experten, Maßstäbe dafür zu setzen, was gut und richtig ist und was getan werden soll, läßt den Wunsch, die Bereitschaft und auch die Fähigkeit des «einfachen» Mannes verkümmern, nach seinem eigenen Maß zu leben.

Wenn alle gegenwärtig an amerikanischen Universitäten immatrikulierten Jurastudenten ihr Diplom erhalten, dann wird die Zahl der amerikanischen Rechtsanwälte um etwa 50 Prozent zunehmen. Rechtspflege wird dann ergänzend neben die Gesundheitspflege treten, und die Rechtsschutzversicherung wird in ähnlichem Maß als lebensnotwendig gelten wie heute die Krankenversicherung. Wenn aber das Recht des Bürgers auf den Beistand des Anwalts eingeführt ist, dann wird die Beilegung eines Streits im Wirtshaus als unaufgeklärt oder gar als antisozial gebrandmarkt, wie es heute mit der Hausgeburt geschieht. Das Recht jedes Einwohners von Detroit, in einem Haus mit elektrischem Anschluß zu leben, macht schon heute jeden Autoelektriker, der zu Hause seine eigenen Leitungen verlegt, zum Gesetzesbrecher. So verlieren die Menschen ein Privileg nach dem anderen, sich außerhalb ihrer Jobs und ohne die Kontrolle durch Experten nützlich zu betätigen, und dies ist die bisher unbekannte, aber am meisten gefürchtete Erfahrung, die mit der modernisierten Armut einhergeht. Das bedeutsamste Privileg eines hohen sozialen Status könnte heute ohne weiteres in der *Freiheit zu nützlicher Arbeitslosigkeit* bestehen, wie sie der großen Mehrheit zunehmend verweigert wird. Der hartnäckige Anspruch auf das Recht, von Spezialisten versorgt und mit Waren beliefert zu werden, hat sich schon beinah in das Recht von Industrien und Expertenzünften verwandelt, Kunden und Klienten einzufangen, sie mit ihren Produkten und Dienstleistungen zu beliefern und damit jene Umweltbedingungen zu zerstören, die einst nichtentlohnte Aktivitäten nützlich machten. Der Kampf um eine gerechtere Verteilung von Zeit und Fähigkeit, sich außerhalb von Lohn- und Dienstverhältnissen nützlich für sich selbst und andere zu betätigen, wird dadurch gelähmt. Arbeit, die außerhalb des formalen Beschäftigungsverhältnisses geschieht, wird verächtlich gemacht oder ignoriert. Autonome Aktivitäten bedrohen den Arbeitsmarkt, erzeugen soziale Abweichung und mindern das Bruttosozialprodukt. Das Wort «Arbeit» ist daher eine unzutreffende Bezeichnung des Sachverhalts. Arbeit bedeutet nicht mehr Anstrengung oder Mühe, sondern ein mysteriöses Beiwerk der produktiven Investitionen in technische Anlagen. Arbeit ist nicht mehr die Schaffung eines Wertes, den der Arbeiter als solchen erkennt, sondern ein Job, also eine soziale Beziehung. Arbeitslosigkeit bedeutet trostlosen Müßiggang, nicht mehr die Freiheit, Dinge zu tun, die für mich oder meinen Nachbarn nützlich sind. Eine aktive Frau, die ihren Haushalt führt, ihre Kinder erzieht, zuweilen sogar noch andere Kinder aufnimmt, wird diskriminiert gegenüber einer Frau, die arbeiten geht – ganz gleich, wie nutzlos oder gar schädlich die Produkte ihrer Arbeit sind. Aktivität, eigene Bemühung, Leistung und Dienst außerhalb einer hierarchischen Beziehung – allesamt durch die genormten Maßstäbe der Experten nicht zu erfassen – sind Gefahren für eine warenintensive Gesellschaft. Die Erzeugung von Gebrauchswerten, die sich der Effizienzmessung entziehen, beschränkt nicht nur das Bedürfnis nach mehr Waren, sondern vermindert auch die Zahl der Jobs, durch die diese geschaffen werden, sowie den Inhalt der Lohntüten, den man braucht, um sie zu kaufen.

Was in einer marktintensiven Gesellschaft einzig zählt, ist

nicht die Bemühung um Freude oder Genuß, sondern die Koppelung der Arbeitskraft des Menschen ans Kapital. Worauf es ankommt, ist nicht die Befriedigung, die sich aus dem eigenen Handeln ergibt, sondern der Status der sozialen Beziehung, die die Produktion regelt: der Job, die Stellung, der Posten, das Amt. Im Mittelalter gab es kein Heil außerhalb der Kirche, und die Theologen hatten alle Mühe zu erklären, was Gott eigentlich mit solchen Heiden machte, die offenbar tugendhaft und heilig lebten. Ähnlich gelten eigene Anstrengungen in der modernen Gesellschaft nicht als produktiv, solange sie nicht auf Geheiß eines Chefs erfolgen, und die Ökonomen haben alle Mühe, die offenkundige Nützlichkeit der Menschen zu erklären, wenn diese sich außerhalb der korporativen Kontrolle eines Unternehmens, eines freiwilligen Arbeitsdienstes usw. betätigen. Arbeit ist nur dann produktiv, respektabel und des Staatsbürgers würdig, wenn der Arbeitsprozeß durch einen Experten geplant, überwacht und kontrolliert wird, der gewährleistet, daß die Arbeit in standardisierter Form ein lizensiertes Bedürfnis erfüllt. In einer fortgeschrittenen Industriegesellschaft scheint es unmöglich zu sein, Arbeitslosigkeit als Voraussetzung für autonome, nützliche Arbeit anzustreben oder auch nur sich vorzustellen. Die Infrastruktur der Gesellschaft ist so beschaffen, daß nur der entlohnte Job Zugang zu Produktionswerkzeugen gewährt, und dieses Monopol der Warenproduktion über die Schaffung von Gebrauchswerten wird in dem Maß verschärft, wie der Staat sich in alle Bereiche einmischt. Nur mit einem entsprechenden Diplom darf man ein Kind unterweisen; nur in einer Klinik darf man ein gebrochenes Bein schienen. Hausarbeit, Handwerk, Subsistenzlandwirtschaft, radikale Technologie, gegenseitiges Lernen usw. – all dies verkommt zu Aktivitäten für unproduktive Müßiggänger, die sehr Armen oder die sehr Reichen. Eine Gesellschaft, die sich intensiv von Waren abhängig macht, macht ihre Arbeitslosen daher zu Armen oder Wohlfahrtsempfängern. Noch 1945 kamen auf einen Versicherungsfall 35 Berufstätige. 1977 müssen 3,2 Beschäftigte einen Rentner, Arbeitslosen oder Fürsorgeempfänger unterstützen, der selbst auf wesentlich mehr Dienstleistungen angewiesen ist, als sein pensionierter Großvater sich vorstellen konnte.

Zukünftig wird die Qualität einer Gesellschaft und ihrer Kultur vom Status ihrer Arbeitslosen abhängig sein: werden sie ganz repräsentative, produktive Staatsbürger sein – oder werden sie Abhängige sein? Wiederum ist klar, um welche Entscheidung oder Krisis es geht. Die fortgeschrittene Industriegesellschaft kann sich zu einem Unternehmenskartell entwickeln, das mühsam hinter dem Traum der sechziger Jahre herhinkt – zu einem rationierten Verteilungssystem, das seinen Bürgern immer wertlosere Waren und trostlosere Arbeitsplätze, für immer standardisierten Konsum und immer ohnmächtigere Arbeit, zuweist. Diese Konsequenz ergibt sich aus den politischen Perspektiven der meisten heutigen Regierungen, von Deutschland bis China, wenngleich es beträchtliche graduelle Unterschiede gibt: je reicher das Land, desto dringender erscheint die Aufgabe, die Arbeitsplätze zu rationieren und nützliche Arbeitslosigkeit zu verhindern, die den Arbeitsmarkt bedrohen könnte. Gewiß aber ist auch das Gegenteil möglich: nämlich eine moderne Gesellschaft, in der die frustrierten Arbeiter sich organisieren und das Freiheitsprivileg des Menschen schützen, sich außerhalb der Warenproduktion nützlich zu betätigen. Diese gesellschaftliche Alternative ist aber wiederum davon abhängig, daß der einfache Mann der Verwaltung seiner Bedürfnisse durch Experten mit einer neuen, rationalen und skeptischen Kompetenz begegnet.

Wider die Hegemonie der neuen Experten

Die Macht der Experten ist heute in dem Maß gefährdet, wie sich die Kontraproduktivität ihrer Produkte erweist. Die Leute erkennen allmählich, daß solche Hegemonie ihnen ihre politischen Rechte raubt. Die symbolische Macht der Experten, die, indem sie die Bedürfnisse des Menschen definiert, seine persönliche Kompetenz untergräbt, wird inzwischen als weit gefährlicher erkannt als ihre – zudem begrenzte – technische Fähigkeit, die von ihnen geschaffenen Bedürfnsse befriedigen zu können. Gleichzeitig wird immer wieder der Ruf nach einer Gesetzgebung laut, die uns über diese, vom Expertenethos beherrschte Epoche hinausführen könnte: so wird gefordert, die bürokratische Lizensierung der Experten durch die Berufung demokratisch gewählter Mitbürger zu ersetzen, die Rezeptvorschriften für Apotheken, die Lehrpläne der Schulen und die Betriebsordnungen anderer prätentiöser Supermärkte zu lockern; *produktive* Privilegien zu schützen; einen Beruf auch ohne Lizenz praktizieren zu können; öffentliche Einrichtungen zu schaffen, die es dem Klienten ermöglichen, alle für Geld arbeitenden Praktiker einer kritischen Beurteilung zu unterziehen. Gegenüber diesen Bedrohungen setzten die großen Experteninstitutionen, jede auf ihre Weise, drei fundamentale Strategien ein, um den Verfall ihrer Legitimität und Macht einzudämmen.

Wie die erste Methode funktioniert, zeigt sich am Club of Rome. Fiat, Volkswagen und Ford finanzieren Ökonomen, Ökologen und Experten dafür, daß sie herausfinden, welche Produkte die Industrie – im Interesse der längerfristigen Systemstabilisierung – nicht produzieren sollte. Ähnlich empfehlen die im Club von Kos zusammengeschlossenen Ärzte, Chirurgie, Bestrahlung und Chemotherapie bei der Behandlung der meisten Krebsarten aufzugeben, da diese Behandlungsformen lediglich das Leiden verlängern und intensivieren. Anwälte und Zahnärzte versprechen eifrig wie nie zuvor, ihre Expertenkollegen zur Einhaltung gewisser Normen der Kompetenz und Schicklichkeit und zu bescheideneren Honorarforderungen anzuhalten.

Eine Spielart dieser Methode beobachten wir bei einzelnen Experten und ihren Organisationen, welche die Monopolstellung von Anwaltskammern, Ärztevereinen und anderen Machtklüngeln des Establishments in Frage stellen. Sie bezeichnen sich als Radikale, weil sie 1. Konsumenten gegen die Interessen ihrer Standesgenossen beraten, 2. die Laien belehren, wie sie sich im Krankenhaus, in der Universität oder gegenüber der Stadtverwaltung verhalten sollen, 3. mitunter vor Kongreß- oder Bundestagsausschüssen die Nutzlosigkeit der von den Experten befürworteten und von der Öffentlichkeit geforderten Verfahren und Maßnahmen bezeugen.

Die Selbstkontrolle der Experten ist im Prinzip brauchbar, um den grob Fahrlässigen oder den Scharlatanen das Handwerk zu legen. Doch wie sich immer wieder gezeigt hat, zementiert sie nur die Abhängigkeit der Allgemeinheit von ihren Diensten. Zuerst empfahlen die frei praktizierenden Experten sich der angeblich auf ihre Dienste angewiesenen Öffentlichkeit, indem sie versprachen, die Schulung, die Moral oder die Berufsausbildung der ärmeren Laien zu überwachen. Dann beharrten die dominierenden Expertenzünfte auf ihrer rechtmäßigen Pflicht, die Allgemeinheit zu führen und noch weiter zu entmündigen, indem sie sich in Clubs (Rom, Kos) zusammenschlossen, die sich in einem hochherzigen Bewußtsein für ökologische, ökonomische und soziale Schranken gefallen. Solche Initiativen schwächen das weitere Wuchern des Expertensektors ein wenig, doch sie verstärken die Abhängigkeit der Allgemeinheit innerhalb dieses Sektors. Die Vorstellung, daß die Experten ein *Recht* darauf hätten, der Allgemeinheit zu dienen, ist also recht jungen Ursprungs. Ihr Bemühen, dieses korporative Recht zu verankern und zu legitimieren, ist eine der schwersten Bedrohungen für unsere Gesellschaft.

Die zweite dieser Strategien sucht das Verhalten der Experten in einer Weise zu organisieren und zu koordinieren, die angeblich der Vielfalt menschlicher Probleme besser angemessen ist. Diese Methode übernimmt auch Vorstellungen aus der Systemanalyse und der *operations research*, die eingesetzt werden, um bessere, landesweite und allumfassende Lösungen zu finden. Was dies bedeutet, zeigt ein kanadisches Beispiel. Vor vier Jahren initiierte der Gesundheitsminister eine Kampagne, um die Öffentlichkeit davon zu überzeugen, daß zusätzliche Gelder für die Medizin, den Krankenstand und die Sterbeziffern des Landes nicht sinken würden. Er wies darauf hin, daß verfrühte Todesfälle überwiegend durch drei Faktoren bedingt sind: Unfälle, zumeist in Motorfahrzeugen; Herzkrankheiten und Lungenkrebs, wogegen die Medizin bekanntlich nichts vermag; und Selbstmord bzw. Mord – Phänomene, die sich der ärztlichen Kontrolle entziehen. Folglich forderte der Minister neue Methoden der Gesundheitspflege. Es ging also darum, Menschen, die am destruktiven Lebensstil und an schädlichen Umweltbedingungen des modernen Kanada erkrankt waren, zu schützen, wiederherzustellen oder doch zu trösten: eine Aufgabe, der sich viele alte und neue Expertenzünfte begierig annahmen. Die Architekten entdeckten, daß sie einen sozialen Auftrag hätten, die Gesundheit der Kanadier zu verbessern. Eine neue korporative Biokratie begann den Organismus der Kanadier zu kontrollieren, und zwar mit einer Gründlichkeit und Intensität, die sich die alte Iatrokratie nicht hätte träumen lassen.

Eine ähnliche Entwicklung zeigt die medizinische Praxis in den USA. Dort fanden in den letzten Jahren koordinierte Bemühungen um die Gesundheit der Amerikaner statt, die enorm kostspielig waren, ohne deshalb besonders wirksam zu sein. Um 1950 wendete der durchschnittliche Arbeitnehmer weniger als zwei Wochenlöhne im Jahr für die medizinische Betreuung durch Experten auf. 1976 war der Anteil auf fünf bis sieben Wochenlöhne pro Jahr gestiegen: wer sich heute einen neuen Ford kauft, bezahlt mehr für die medizinische Hygiene der Ford-Arbeiter als für das in den Wagen verarbeitete Metall. Trotz all dieser Bemühungen und Kosten hat sich die Lebenserwartung der männlichen Erwachsenenbevölkerung in den letzten hundert Jahren nicht nennenswert verändert. Sie ist niedriger als in manchen armen Ländern, und seit zwanzig Jahren sinkt sie langsam, aber stetig.

Wo die Krankenstatistik sich zum Besseren verändert hat, ist dieser Wandel hauptsächlich durch die Einführung gesünderer Lebensformen bedingt, besonders auf dem Gebiet der Ernährung. In geringerem Maß waren auch Impfungen und die Routineanwendung so einfacher Interventionen wie Antibiotika und Verhütungsmittel am Rückgang gewisser Krankheiten beteiligt. Dergleichen einfache medizinische Verfahren verlangen jedoch nicht die Mitwirkung des hochqualifizierten Experten. Die Leute werden nicht dadurch gesünder, daß sie sich fester an den ärztlichen Spezialisten binden. Gleichwohl verlangen manche «radikale» Ärzte eine solche vermehrte Biokratie.

Eine dritte Überlebensstrategie der dominierenden Experten ist der neueste radikale Chic: Wenn die Propheten der sechziger Jahre von Entwicklungsprojekten vor der Türschwelle der Überflußgesellschaft schwärmten, so verkünden diese Mythenmacher heute die Selbsthilfe der selbst zu Experten gewordenen Klienten.

Allein in USA sind seit 1965 2700 Bücher erschienen, aus denen man lernen kann, sein eigener Patient zu sein, so daß man den Arzt nur dann zu holen braucht, wenn es sich für diesen lohnt. Einige dieser Bücher empfehlen, daß man erst nach ordnungsgemäßer Ausbildung und Prüfung in Selbstmedikation berechtigt sein soll, Aspirin zu kaufen und es an seine Kinder zu verteilen. In anderen Büchern ist der Vorschlag zu lesen, daß kundige Patienten in Krankenhäusern Vorzugssätze zahlen und in den Genuß niedrigerer Versicherungsbeiträge kommen sollen. Hausgeburten sollen nur noch für solche Frauen erlaubt sein, die eine Lizenz für Hausgeburten haben, weil solche fachkundigen Mütter sich, wenn nötig, selber eines Kunstfehlers anklagen können. Ein solcher «radikaler» Vorschlag meinte sogar, daß das Geburtsdiplom nicht mehr unter ärztlicher, sondern unter feministischer Kontrolle abgelegt werden sollte.

Der alte Traum der Experten, jede neue Stufe der eskalierenden Bedürfnisse fest in den breiten Volksschichten zu verankern, kommt jetzt unter dem Banner der Selbsthilfe daher. Heute wird er von einer neuen Gattung der Selbsthilfeexperten propagiert, die die Entwicklungsexperten der sechziger Jahre abgelöst haben. Ihr Ziel ist die universelle Beförderung der Klienten zu Spezialisten. Ein Beispiel für diesen neuen Kreuzzug bieten amerikanische Wohnungsbauexperten, die letzten Herbst in Mexiko einfielen. Vor etwa zwei Jahren kam ein Architekt aus Boston auf Urlaub nach Mexiko. Ein mit mir befreundeter Mexikaner führte ihn in die Gegend hinter dem Flughafen, wo in den letzten zwölf Jahren eine neue Stadt entstanden ist. Anfangs nur ein paar Hütten, hat sie sich rasch zu einer Gemeinde entwickelt, die dreimal so groß ist wie Cambridge, Massachussetts. Mein Freund, ebenfalls Architekt, wollte dem Besucher die unzähligen Beispiele bäuerlichen Erfindungsgeistes vorführen, der aus Abfällen und mit allerlei Notbehelf neuartige Wohnformen und Baustrukturen entwickelt hat, wie sie in den Lehrbüchern nicht enthalten sind. Kein Wunder also, daß sein Kollege Hunderte von Filmen verknipste, um diese großartigen Improvisationen und Erfindungen festzuhalten, die einen Slum von zwei Millionen Menschen zu einem funktionierenden Gemeinwesen machen. Diese Aufnahmen wurden dann in den Instituten von Cambridge analysiert, und schon Ende des gleichen Jahres waren frischgebackene US-Spezialisten für Stadtarchitektur emsig dabei, die Leute von Ciudad Netzahualcoyotl über ihre Probleme, Bedürfnisse und Lösungen zu belehren.

Die Ökonomie der Gebrauchswerte
oder Das Ethos einer von Experten befreiten Epoche

Das Gegenteil von Mangel, Bedürfnis und Armut, wie die Experten sie attestieren, ist eine moderne Subsistenz. Der Begriff «Subsistenzwirtschaft» bezeichnet für gewöhnlich das Überleben von Gruppen in marginaler Abhängigkeit vom Markt, wobei die Menschen die Dinge ihres täglichen Bedarfs mit Hilfe traditioneller Werkzeuge und im Rahmen einer überlieferten, meist kaum in Frage gestellten sozialen Organisation herstellen. Ich schlage vor, wir sollten das Wort für unsere Sache retten und von moderner Subsistenz sprechen. Moderne Subsistenz wollen wir also einen Lebensstil nennen, der in einer nachindustriellen Volkswirtschaft herrschen könnte, in der es den Menschen gelungen wäre, ihre Abhängigkeit vom Markt zu reduzieren, und zwar dadurch, daß sie – durch politische Mittel – eine soziale Infrastruktur einrichten und schützen, bei der Techniken und Werkzeuge hauptsächlich dazu dienen, *Gebrauchswerte* herzustellen, die sich der Messung und Bewertung durch die professionellen Bedürfnismacher entziehen. Eine Theorie solcher Werkzeuge habe ich an anderer Stelle entwickelt (‹*Tools for Conviviality*› – deutsch: ‹*Selbstbegrenzung*›, Rowohlt 1975). Dort schlage ich den terminus technicus «konviviales Werkzeug» für am Gebrauchswert orientierte technische Artefakte vor. Wie ich gezeigt habe, ist das Gegenteil der sich ausbreitenden modernen Armut eine politisch fundierte, konviviale Genügsamkeit, die den gleichen Freiheitsspielraum aller Menschen im Gebrauch solcher Werkzeuge schützt.

Die Umrüstung der modernen Gesellschaft von industriellen auf konviviale Werkzeuge setzt allerdings voraus, daß wir den Schwerpunkt unseres Kampfes für soziale Gerechtigkeit verlagern; sie setzt voraus, daß das Prinzip der *gerechten Verteilung* dem Prinzip der *gerechten Partizipation* untergeordnet wird. In der Industriegesellschaft werden die Menschen auf extreme Spezialisierung trainiert. Sie werden unfähig gemacht, ihre eigenen Bedürfnisse zu gestalten oder zu befriedigen. Sie sind abhängig von Waren – von den Machern, die ihnen Rezepte und Vorschriften ausstellen. Das Recht, Bedürfnisse zu diagnostizieren, Therapien zu verschreiben und – ganz allgemein – Waren zu verteilen, ist das beherrschende Thema von Ethik, Politik und Recht. Diese Hervorhebung des *Rechts* auf dekretierte Bedürfnisse läßt das *Privileg*, zu lernen, zu gesunden oder sich aus eigener Kraft fortzubewegen, zum zerbrechlichen Luxus werden. In einer konvivialen Gesellschaft aber träfe das Gegenteil zu. Die Herstellung von Gerechtigkeit in der Ausübung persönlicher Freiheitsprivilegien ist das Hauptanliegen einer auf radikale Technologie gegründeten Gesellschaft: das Ziel einer Naturwissenschaft und Technik im Dienst effektiverer Gebrauchswerterzeugung. Eine solche, gerecht verteilte Freiheit wäre natürlich inhaltslos, wenn sie nicht durch das Recht gleichen Zugangs zu Rohstoffen, Werkzeugen und öffentlichen Einrichtungen abgesichert wäre. Nahrung, Brennstoffe, frische Luft oder Lebensraum können ebensowenig gerecht verteilt werden wie Schreinerwerkzeug oder Arbeitsplätze, solange sie nicht ohne Rücksicht auf von außen dekretierte Bedürfnisse zugeteilt werden – das heißt in gleichen Maximalmengen für jung und alt, Krüppel und Präsident. Eine Gesellschaft, die auf der modernen, effizienten Nutzung produktiver Freiheitsprivilegien beruht, kann nicht entstehen, solange alle in der Ausübung solcher Freiheit gleich beschränkt sind.

II
Energie
und Gerechtigkeit

«Al socialismo
se puede llegar solo en bicicleta»

José Antonio Viera-Gallo
Staatssekretär (Justiz) in der
Regierung Allende

*[handwritten: → vgl. Budden-
brooks
(Grünlich)]*

Editorische Vorbemerkung

Beim Lesen der Korrekturfahnen für diese deutsche Buchausgabe meines Textes wunderte ich mich bei fast jedem Absatz darüber, wie rasch neue Wörter und Ängste in unsere Industriegesellschaft einbrechen. Als ich diesen Text in seiner Urfassung im Frühjahr 1973 bei einem Mittagessen mit dem ehrwürdigen Herausgeber von *Le Monde*, für den sie geschrieben worden war, besprach, lehnte er – sich auf lebenslange Erfahrung berufend – den Ausdruck «Energiekrise» ab. «Was sollen die Leser sich unter diesem ungeläufigen Fachausdruck ‹Energiekrise› vorstellen?» Das ist erst dreieinhalb Jahre her.

In diesem Essay lege ich dar, daß sich unter bestimmten Umständen in einer Technologie die Werte jener Gesellschaft, für die sie erfunden wurde, vergegenständlichen, und dies in einem Maße, daß diese Werte in jeder Gesellschaft, die jene Technologie anwendet, zur Herrschaft gelangen. Die materielle Struktur von Produktionsmitteln kann also in irreversibler Weise von einem Klassenstandpunkt geprägt sein. Technologien mit hohem Energieverbrauch – zum Beispiel im Verkehr – liefern dafür ein deutliches Beispiel.

Es ist offensichtlich, daß diese These die Legitimation jener Experten untergräbt, die die Anwendung solcher Technologien monopolisieren. Besonders ungelegen kommt sie denjenigen unter den professionellen Experten, die – mit dem Ziel «dem Volke» zu dienen – in der Rhetorik des Klassenkampfs das Ziel propagieren, die «Kapitalisten», die jetzt die institutionelle Politik kontrollieren, zu ersetzen durch den Grundsatz der Gleichheit verpflichtete Experten und Laien, die deren Standards akzeptieren. Hauptsächlich unter dem Einfluß solcher «radikalen» Experten hat sich diese These in nur fünf Jahren von einer seltsamen Idee in eine Ketzerei verwandelt, die eine Flut von Beschimpfungen provozierte.

Die Unterscheidung, die ich hier vorschlage, ist jedoch nicht neu. Ich wende mich gegen Werkzeuge, die zu nichts anderem gebraucht werden können, als Ware zu produzieren, im Unterschied zu jenen, die zur Herstellung von Gebrauchswerten angewendet werden können. Diese Unterscheidung ist in der letzten Zeit von einer Vielzahl von Gesellschaftskritikern aufs neue unterstrichen worden. Das Bestehen auf der Notwendigkeit eines Gleichgewichts von *konvivialen* und *industriellen* Werkzeugen ist in der Tat die kennzeichnende Gemeinsamkeit der Gruppen, die an radikaler Politik engagiert sind, und die Grundlage eines sich unter ihnen entwickelnden Konsensus *(vgl. Anm. S. 139)*.

73

I. Die Energiekrise [1]

In jüngster Zeit scheint es unvermeidlich, die drohende Energiekrise zu beschwören. Dieser Euphemismus verbirgt einen Widerspruch und sanktioniert eine Illusion. Er maskiert den Widerspruch, der dem gleichzeitigen Streben nach Gerechtigkeit und industriellem Wachstum innewohnt. Er wahrt die Illusion, daß die Maschine unbeschränkt den Menschen ersetzen könne. Um diesen Widerspruch zu verdeutlichen und diese Illusion aufzudecken, müssen wir die Realität beleuchten, welche das Gerede von der Krise verschleiert: Hohe Energiequantitäten deformieren die sozialen Beziehungen ebenso unvermeidlich, wie sie das physische Milieu zerstören. Energieanwendung vergewaltigt die Gesellschaft, bevor sie die Natur zerstört. Die Sachwalter einer Energiekrise vertreten und propagieren ein eigenartiges Menschenbild. Nach dieser Auffassung wird der Mensch in eine anhaltende Abhängigkeit von Sklaven hineingeboren, die zu beherrschen er mühsam lernen muß. Sofern er nicht Gefangene beschäftigt, braucht er Motoren, die den größten Teil seiner Arbeit tun. Nach dieser Doktrin ist das Wohl einer Gesellschaft zu messen an der Zahl der Energiesklaven, die sie zu befehligen lernt. Diese Überzeugung ist den widerstreitenden Ideologien, die heute im Schwang sind, gemeinsam. Sie wird durch die offensichtliche Ungerechtigkeit, Gehetztheit und Ohnmacht in Frage gestellt, die überall auftreten, sobald die unersättlichen Horden der Energiesklaven die Menschen in einer bestimmten Proportion zahlenmäßig übertreffen. Das Schlagwort von der Energiekrise legt den Akzent auf die Knappheit des Futters für diese Sklaven. Ich möchte dagegen fragen, ob freie Menschen diese überhaupt brauchen.

Die in diesem Jahrzehnt ergriffenen energiepolitischen Maßnahmen werden über den Spielraum der sozialen Beziehungen entscheiden, dessen eine Gesellschaft im Jahre 2000 sich wird erfreuen können. Eine Politik des geringen Energieverbrauchs ermöglicht eine breite Skala von Lebensformen und Kulturen. Moderne und doch energiekarge Technologie läßt politische Optionen bestehen. Wenn eine Gesellschaft sich hingegen für einen hohen Energieverbrauch entscheidet, werden ihre sozialen Beziehungen notwendig von der Technokratie beherrscht und –

gleichgültig ob als kapitalistisch oder sozialistisch etikettiert –
gleichermaßen menschlich unerträglich werden.

Heute steht es noch den meisten Gesellschaften – besonders
den armen – frei, ihre Energiepolitik an einer von drei möglichen
Richtlinien zu orientieren: Sie können ihr Wohlergehen mit einem hohen Pro-Kopf-Energieverbrauch, mit hoher Effizienz der
Energietransformation oder aber mit dem geringstmöglichen
Einsatz mechanischer Energie gleichsetzen. Das erste Verfahren
würde die straffe Verwaltung knapper und destruktiver Treibstoffe zugunsten der Industrie bedeuten. Das zweite würde die
Umrüstung der Industrie im Sinne thermodynamischer Wirt-
schaftlichkeit in den Vordergrund stellen. Beide Methoden im-
plizieren gewaltige öffentliche Ausgaben für eine verschärfte soziale Kontrolle und enorme Reorganisation der Infrastruktur.
Beide erklären erneutes Interesse an Hobbes, beide rationalisieren die Entstehung eines computerisierten Leviathans, und beide
werden gegenwärtig in weiten Kreisen diskutiert. Strengere
Planwirtschaft und elektronisch gesteuerte Schnellbahnen sind
spießige Vorschläge, ökologische Ausbeutung durch soziale und
psychologische zu ersetzen.

Eine dritte, wesentlich neue Möglichkeit wird kaum zur
Kenntnis genommen: optimale Meisterung der Natur mit be-
schränkter mechanischer Kraft klingt noch wie Utopie. Man
beginnt zwar, eine ökologische Beschränkung des maximalen
Pro-Kopf-Energieverbrauchs als Bedingung des Überlebens zu
akzeptieren, doch anerkennt man noch nicht den Einsatz der
geringstmöglichen Energiemenge als notwendige Grundlage für
jedwede Sozialordnung, die sowohl wissenschaftlich begründbar
als auch politisch gerecht ist. Noch mehr als Treibstoffhunger
muß Energieüberfluß zur Ausbeutung führen. Nur wenn eine
Gesellschaft den Energieverbrauch selbst ihres mächtigsten Bürgers begrenzt, kann sie soziale Beziehungen ermöglichen, die sich
durch ein hohes Maß an Gerechtigkeit auszeichnen. Karg bemessene Technik ist Bedingung, wenn auch keine Garantie für
soziale Gerechtigkeit. Gerade diese dritte Energiepolitik, die gegenwärtig übersehen wird, ist die einzige, die allen Nationen
offensteht: Keinem Land sollten heute die Rohstoffe und Kenntnisse fehlen, um diese Politik innerhalb einer halben Generation
zu verwirklichen. Die partizipatorische Demokratie setzt eine

Technologie des geringen Energieverbrauchs voraus, und – umgekehrt – kann nur der politische Wille zur Dezentralisation die Bedingungen für eine rationale Technologie schaffen.

Was allgemein übersehen wird, das ist die Tatsache, daß Gerechtigkeit und Energie nur bis zu einem gewissen Punkt im Einklang miteinander zunehmen können. Unterhalb einer bestimmten Schwelle des Wattverbrauchs pro Kopf verbessern die Motoren die Bedingungen des sozialen Fortschritts. Ist diese Schwelle überschritten, dann nimmt der Energieverbrauch einer Gesellschaft auf Kosten der sozialen Gerechtigkeit zu. Ein weiterer Energieüberschuß bedeutet dann eine schlechtere Verteilung der Kontrolle über diese Energie. Der Grund hierfür ist nicht die Begrenzung der technischen Möglichkeit, Energiekontrolle zu verteilen, sondern Schranken, die mit der Dimension des menschlichen Leibes, der sozialen Rhythmen und dem Lebensraum gegeben sind.

Der weitverbreitete Glaube, daß saubere und reichlich vorhandene Treibstoffe das Allheilmittel für soziale Übel seien, geht auf einen politischen Trugschluß zurück, der besagt, daß Gerechtigkeit und Energieverbrauch, zumindest unter gewissen politischen Bedingungen, unbegrenzt miteinander vereinbart werden könnten. Wohlergehen wird mit dem Energiewohlstand verwechselt, den die Kernfusion 1990 produzieren soll. Wenn wir mit dieser Illusion arbeiten, dann neigen wir dazu, jede sozial begründete Beschränkung des wachsenden Energiekonsums zu vernachlässigen und uns von ökologischen Überlegungen blenden zu lassen: wir stimmen dem Ökologen zu, daß nichtphysiologische Kraftanwendungen die Umwelt verunreinigen, und übersehen, daß mechanische Kraft – jenseits einer gewissen Schwelle – das soziale Milieu korrumpiert. Die Schwelle der sozialen Desintegration durch hohe Energiemengen ist unabhängig von der Schwelle, an der die Umwandlung von Energie in physische Zerstörung übergeht. In Pferdestärken ausgedrückt, ist sie wohl in vielen Fällen niedriger. Das klingt heute noch undenkbar, kann aber wenigstens am Beispiel von Verkehr und Bauwesen nachgewiesen werden. Der Begriff sozial kritischer Energiequanten muß erst einmal theoretisch erhellt werden, bevor es möglich ist, den Wattverbrauch pro Kopf, auf den eine Gesellschaft ihre Mitglieder beschränkt, als politische Frage zu erörtern.

In früheren Diskussionen habe ich gezeigt, daß die Kosten der sozialen Kontrolle jenseits einer gewissen Höhe des Bruttosozialprodukts schneller zunehmen als das Gesamtprodukt und die bestimmende institutionelle Aktivität innerhalb einer Volkswirtschaft werden. Die von Erziehern, Psychiatern und Sozialarbeitern verabreichte Therapie muß sich den Programmen der Planer, Manager und Verkaufsstrategen einfügen und die Leistungen der Sicherheitsdienste, des Militärs und der Polizei ergänzen. Meine Analyse der Erziehungsindustrie bezweckte diesen Nachweis auf einem beschränkten Sektor. Ich möchte nun einen Grund benennen, warum ein wachsender Energieüberschuß eine Zunahme der Herrschaft über Menschen erfordert. Jenseits einer kritischen Stufe des Energieverbrauchs pro Kopf, behaupte ich, müssen das politische System und der politische Kontext jeder Gesellschaft verkümmern. Gewaltige Verkehrsmittel, Bauten und Werkzeuge entmachten den politischen Prozeß und zwingen den wehrlosen Menschen in ihren Dienst. Sobald das kritische Quantum des Energieverbrauchs pro Kopf überschritten ist, muß die Erziehung für die abstrakten Ziele einer Technokratie an die Stelle der legalen Garantien für die individuelle, konkrete Initiative treten. Dieses Quantum ist die Grenze, an der Rechtsordnung und Politik zusammenbrechen und die technische Struktur der Produktionsmittel die soziale Struktur vergewaltigen muß.

Selbst wenn eine nicht die Umwelt schädigende Energie möglich und reichlich vorhanden wäre, wirkt sich doch ein massiver Energieverbrauch auf die Gesellschaft wie eine zwar physisch harmlose, doch psychisch versklavende Droge aus. Die Gemeinschaft kann wählen zwischen Methadon und dem «Cold Turkey» – zwischen dem Beibehalten ihrer Sucht nach fremder Energie und dem Verzicht unter schmerzhaften Krämpfen –, doch keine Gesellschaft kann damit rechnen, daß ihre Mitglieder autonom handeln und gleichzeitig von einer stetig wachsenden Zahl von Energiesklaven abhängig sind. Wie ich meine, muß die Technokratie obsiegen, sobald das Verhältnis von mechanischer Kraft zu «metabolischer» Energie eine bestimmte, definierbare Schwelle überschreitet. Die Größenordnung, in der diese Schwelle liegt, ist weitgehend unabhängig vom Grad der angewandten Technisierung, doch schon ihr bloßes Vorhandensein ist in den Ländern des großen wie des mittleren Wohlstands in den toten Winkel der sozialen Phantasie gerückt. Sowohl die USA als auch Mexiko haben die kritische Grenze überschritten. In beiden Ländern vermehrt ein zusätzlicher Energie-Input Ungleichheit, Ineffizienz und Ohnmacht. Obwohl das Pro-Kopf-Einkommen im einen Land bei 500 Dollar und im anderen bei 5000 Dollar liegen mag, werden beide durch das mächtige wirtschaftliche Interesse an einer industriellen Infrastruktur angespornt, den Energieverbrauch weiter zu eskalieren. Infolgedessen versehen nordamerikanische wie mexikanische Ideologen ihre Frustration mit dem Etikett Energiekrise, und in beiden Ländern stellt man sich blind für die Tatsache, daß die Gefahr des sozialen Zusammenbruchs weder von einer Treibstoffknappheit noch von einer verschwenderischen, umweltschädlichen und irrationalen Verwendung der verfügbaren Wattleistung ausgeht, sondern vom Versuch der Industrie, die Gesellschaft mit Energiemengen zu überfüttern, welche die Mehrzahl der Menschen unausweichlich erniedrigen, berauben und frustrieren.

Ein Volk kann durch die Energiemenge seiner Maschinen ebenso überfahren werden wie durch den Kaloriengehalt seiner Nahrung, aber die energiemäßige Übersättigung der Nation gesteht man sich viel schwerer ein als eine krank machende Diät.

Die für das soziale Wohl kritische Energiemenge pro Kopf liegt in einer Größenordnung, die außerhalb Chinas zur Zeit der Kulturrevolution wenigen Völkern bekannt war: sie geht weit über die PS-Zahl hinaus, über die vier Fünftel der Menschheit verfügen, und bleibt weit unter der Energie, über die jeder Volkswagenfahrer gebietet. Sie scheint dem Überkonsumenten wie dem Unterkonsumenten gleichermaßen nichtssagend. Für die Absolventen aller Mittelschulen der Welt bedeutet eine Beschränkung des Energieniveaus den Zusammenbruch ihres Weltbildes – für die meisten Südamerikaner bedeutet dasselbe Niveau ihren Eintritt in die Welt der Motoren. Beide finden es schwer. Für die Primitiven ist die Beseitigung der Sklaverei abhängig von der Einführung einer modernen, bewußt bemessenen Technik, und wenn die Bewohner reicher Länder eine noch fruchtbarere Schinderei vermeiden wollen, dann sind sie darauf

78

angewiesen, jene Schwelle des Energieverbrauchs zu erkennen, jenseits welcher die technischen Prozesse anfangen, die sozialen Beziehungen vorzuschreiben. Kalorien sind biologisch wie auch sozial nur so lange bekömmlich, als ihre Menge innerhalb des engen Bereichs bleibt, der das Genug vom Zuviel scheidet.

Die sogenannte Energiekrise ist also ein politisch zweideutiges Problem. Das öffentliche Interesse an der Quantität der Energie und der Verteilung der Kontrolle über den Energieverbrauch kann in zwei entgegengesetzte Richtungen führen. Einerseits kann man Fragen formulieren, die den Weg zur politischen Rekonstruktion eröffnen würden, indem sie die Bemühungen um eine postindustrielle, arbeitsintensive Wirtschaft mit geringem Energieverbrauch und hohem Maß an Gerechtigkeit freisetzen. Andererseits kann die hysterische Sorge um das Futter für die Maschinen die heutige Eskalation des kapitalintensiven institutionellen Wachstums verstärken und uns die letzte Chance rauben, einem hyperindustriellen Armageddon zu entgehen. Die politische Rekonstruktion setzt die prinzipielle Erkenntnis voraus, daß es kritische Mengen des Pro-Kopf-Verbrauchs gibt, über die hinaus Energie nicht mehr durch politische Prozesse kontrolliert werden kann. Ökologische Beschränkungen des Gesamtenergieverbrauchs, die von industriefreundlichen Planern in der Absicht erlassen werden, die Industrieproduktion auf einem gewissen hypothetischen Maximum zu halten, werden unvermeidlich den sozialen Zusammenbruch nach sich ziehen. Reiche Länder wie die USA, Japan oder Frankreich werden vielleicht nie den Punkt erreichen, wo sie an ihren eigenen Abfällen ersticken, aber nur deshalb, weil ihre Gesellschaften bereits in einem sozialkulturellen Energiekoma zusammengebrochen sein werden. Länder wie Indien, Burma und, zumindest noch einige Zeit China befinden sich in der umgekehrten Position, daß sie immer noch genügend auf Muskelkraft fundiert sind, um kurz vor einem Energiekollaps haltmachen zu können. Sie könnten schon jetzt beschließen, innerhalb jener Pro-Kopf-Energiegrenzen zu bleiben, in die die reichen Länder unter gewaltigen Einbußen ihrer einzementierten Kapitalien zurückgezwungen werden.

Die Entscheidung für eine Wirtschaft mit minimalem Energieverbrauch verlangt von den Armen, ihre weitgesteckten Erwartungen aufzugeben, und von den Reichen, ihre wirtschaftlichen Interessen als Schuldzusammenhang zu erkennen. Beide müssen das fatale Bild des Menschen als Sklavenhalter zurückweisen, das gegenwärtig durch einen ideologisch stimulierten Hunger nach immer mehr Energie gefördert wird. In jenen Ländern, deren industrielle Entwicklung in den Überfluß mündete, wird die Energiekrise als Knüppel benutzt, um die Steuern hochzutreiben, die notwendig sein werden, um rationellere und sozial tödlichere industrielle Verfahren an die Stelle derer zu setzen, die durch eine ineffektive Überexpansion veraltet sind. Den Führern jener Völker, die durch denselben Prozeß der Industrialisierung enteignet wurden, dient die Energiekrise als Alibi für die Zentralisierung der Produktion, der Aufrüstung der Bürokratie und der Umweltzerstörung im Dienste eines letzten verzweifelten Versuchs, mit den besser mit Motoren ausgestatteten Ländern gleichzuziehen. Die reichen Länder sind jetzt dabei, ihre Krise zu exportieren und das neue Evangelium eines puritanischen Energiekults den Armen und Schwachen zu predigen. Wenn die neue Saat der energiesparenden Industrialisation in der Dritten Welt aufgeht, fügen sie den Armen mehr Schaden zu, als sie es dadurch taten, daß sie ihnen die verschwenderischen Produkte von heute veralteten Fabriken andrehten. Sobald ein armes Land die Doktrin akzeptiert, daß mehr und sorgfältiger verwaltete Energie stets mehr Waren für mehr Menschen erbringen wird, ist dieses Land dem Wettlauf in die Versklavung durch die Maximierung der Industrieproduktion verfallen. Wenn die «Armen» sich dafür entscheiden, ihre Armut durch eine vermehrte Abhängigkeit von Energiequellen zu modernisieren, dann verzichten sie unausweichlich auf die Alternative einer rationalen Technologie. Die Armen werden notwendig auf die Möglichkeit einer befreienden Technologie und einer partizipatorischen Politik verzichten, wenn sie – im Dienste mit höchstmöglichem Energieverbrauch – die höchstmögliche soziale Kontrolle in Form von moderner Erziehung akzeptieren.

Die Lähmung der modernen Gesellschaft, die sich Energiekrise nennt, kann nicht durch einen höheren Aufwand an Energie überwunden werden. Sie kann nur gelöst werden, wenn wir die Illusion aufgeben, daß unser Wohl von der Zahl der Energiesklaven abhängt, über die wir gebieten. Zu diesem Zweck ist es notwendig, daß wir die Schwelle erkennen, jenseits welcher Energie korrumpiert, und daß wir dies in einem politischen Prozeß tun, der die Gemeinschaft im Bemühen um diese Erkenntnis und die darauf gebaute Selbstbeschränkung vereinigt. Da diese Art Forschung dem entgegengesetzt ist, was Experten und Institutionen heute tun, will ich sie als Gegenforschung bezeichnen. Diese umfaßt drei Schritte: Zuerst muß die Notwendigkeit einer Beschränkung des Energieverbrauchs pro Kopf theoretisch als sozialer Imperativ anerkannt werden. Dann muß der Bereich bestimmt werden, innerhalb dessen die kritische Größe sich bewegen mag. Und schließlich muß jede Gesellschaft bestimmen, welchen Grad der Ungerechtigkeit, Zerstörung und Propaganda ihre Mitglieder zu akzeptieren bereit sind, um einer seltsamen Befriedigung willen: Sie dürfen mächtige Maschinen zum Idol machen und um dieses «Eiserne Kalb» nach dem von Experten geschlagenen Takt tanzen.

Die Notwendigkeit einer politischen Erforschung der gesellschaftlich optimalen Energiemengen läßt sich an Hand einer Untersuchung des modernen Verkehrs illustrieren. Die USA wenden, nach Herendeen, 42 Prozent ihrer gesamten Energie für Fahrzeuge auf: Um sie herzustellen, sie zu betreiben und ihnen Platz zu schaffen, wenn sie parken, fahren oder fliegen. Der größte Teil dieser Energie wird gebraucht, um Menschen zu befördern. Lediglich für diesen Zweck wenden 250 Millionen Amerikaner mehr Treibstoff auf als 1300 Millionen Chinesen und Inder insgesamt verbrauchen. Beinah die gesamte Energiemenge wird in einem Beschwörungstanz der zeitraubenden Akzeleration verheizt. Die armen Länder wie Mexiko oder Peru wenden einen noch größeren Prozentsatz ihrer gesamten Energie für den Verkehr auf als die USA, und dieser kommt einem geringeren Prozentsatz der Bevölkerung zugute. Der Umfang dieses Unternehmens macht es sowohl einfach wie auch bedeutsam, am Beispiel der Personenbeförderung die Existenz gesellschaftlich-kritischer Energiequanten zu demonstrieren.

Im Verkehr setzt sich die über einen bestimmten Zeitraum aufgewandte Energie (Kraft) in Geschwindigkeit um. In diesem Fall erscheint also das kritische Quantum auch als Geschwindigkeitsgrenze. Wann immer diese Grenze überschritten wurde, zeigte sich bisher das grundlegende Muster der sozialen Zerstörung durch hohe Energiequanten. Sobald in einer westlichen Gesellschaft im Laufe des letzten Jahrhunderts ein allgemeines Verkehrsmittel schneller als 25 km/h fuhr, nahm die gerechte Billigkeit ab, die Knappheit von Zeit und Raum nahm zu. Der motorisierte Transport monopolisierte den Verkehr und blokkierte die Fortbewegung aus eigener Kraft. In allen westlichen Ländern multiplizierte sich die Zahl der Reisekilometer binnen fünfzig Jahren seit dem Bau der ersten Eisenbahn um etwa das Hundertfache. Wenn die Proportion ihrer jeweiligen Energieproduktion einen bestimmten Wert überschritt, dann schlossen die mechanischen Umwandler mineralischer Treibstoffe den Menschen vom Gebrauch seiner metabolischen Energie aus und zwangen ihn, ein versklavter Konsument der Beförderungsmittel zu werden. Diese Auswirkung der Geschwindigkeit auf die Autonomie des Menschen wird nur am Rande durch die technologischen Eigenschaften der verwendeten Motorfahrzeuge bzw. durch die Personen oder Gruppen beeinflußt, welche die rechtliche Verfügung über Fluglinien, Busse, Eisenbahnen oder Pkw besitzen. Hohe Geschwindigkeit ist der kritische Faktor, durch den das Transportwesen zum Instrument der gesellschaftlichen Ausbeutung werden muß. Eine wirkliche Entscheidung zwischen politischen Systemen und so die Entwicklung partizipatorischer Sozialbeziehungen ist nur dort möglich, wo die Geschwindigkeit beschränkt wird. Die partizipatorische Demokratie verlangt eine karge Bemessung des Energieverbrauchs in ihrer Technik. In schlichter Formulierung läßt sich folgendes sagen: Produktive Sozialbeziehungen unter freien Menschen bleiben auf das Fahrradtempo beschränkt.

An Hand des Verkehrs möchte ich den allgemeineren Gesichtspunkt des gesellschaftlich optimalen Energieverbrauchs illustrieren, und ich beschränke mich auf die Beförderung von Personen einschließlich ihres persönlichen Gepäcks und der für Fahrzeug und Straße erforderlichen Treibstoffe, Materialien und Geräte. Ich sehe absichtlich von der Erörterung zweier anderer Formen des Verkehrs ab: der Waren- und Nachrichtenbeförderung. In beiden Fällen ist eine parallele Argumentation möglich, doch müßte die Schlußfolgerung einen anderen Gang nehmen, und ich spare mir dies für eine spätere Gelegenheit auf.

Der Gesamtverkehr ist das Ergebnis von zwei unterschiedlichen Anwendungsweisen der Energie. Verkehr ist eine Summe aus persönlicher Fortbewegung (autogenem Transit) und mechanischer Beförderung (dem Transport von Menschen). Unter *Transit* verstehe ich jene Art der Fortbewegung, die auf der metabolischen Energie des Menschen beruht, und unter Transport verstehe ich jene Bewegungsform, die von anderen Energiequellen Gebrauch macht. Bei diesen Energiequellen wird es sich künftig vor allem um Motoren handeln, da die Tiere, soweit sie nicht Distelfresser wie der Esel und das Kamel sind, in einer übervölkerten Welt mit dem Menschen in einem erbitterten Wettkampf um die Nahrung stehen. Wie schon gesagt, beschränke ich meine Beobachtung auf die Ortsveränderung von Menschen jenseits ihrer Haustür.

Sobald die Menschen – nicht nur bei mehrtägigen Reisen, sondern auch im täglichen Pendelverkehr – auf Beförderung angewiesen sind, treten die Widersprüche zwischen sozialer Gerechtigkeit und Motorkraft zwischen effektiver Fortbewegung und hoher Geschwindigkeit, zwischen individueller Freiheit und vorgeschriebenem Gleis mit eindringlicher Klarheit hervor. Die erzwungene Abhängigkeit von automobilen Maschinen verweigert dann einer Gesellschaft von lebendigen Menschen gerade jene Beweglichkeit, deren ursprünglicher Zweck die Mechanisierung des Transportwesens war. Verkehrssklaverei setzt ein.

Der schnell verfrachtete und stets verschleppte Mensch kann kaum mehr wandern, wandeln oder spazieren, bummeln, laufen oder auch nur marschieren und schon gar nicht schlendern, pilgern oder vagabundieren; und doch muß er ebenso lange auf den Füßen sein wie sein Großvater. Der moderne Amerikaner muß im Durchschnitt genauso viele Kilometer zu Fuß laufen wie seine Vorfahren – zumeist durch Tunnel, Korridore, über Parkplätze und durch Kaufhäuser.

Zu Fuß sind die Menschen mehr oder minder gleichgestellt. Menschen, die nur zu Fuß gehen, bewegen sich spontan, mit einer Geschwindigkeit von 4 bis 6 km/h in jede Richtung und an jeden Ort, soweit ihnen dies nicht rechtlich oder physisch verwehrt ist. Von einer Verbesserung dieser ursprünglichen Mobilität durch eine neue Transporttechnik sollte man erwarten, daß sie diesen Grad der Effizienz sowohl bewahrt als auch um neue Qualitäten bereichert – etwa größere Reichweite, Zeitersparnis, Bequemlichkeit oder bessere Chancen für die Behinderten. Bisher ist dies nicht der Fall, vielmehr hatte das Wachstum der Transportindustrie überall gegenteilige Folgen. Von dem Augenblick an, als ihre Maschinen den einzelnen Reisenden mit mehr als einer gewissen PS-Kraft ausstatteten, hat diese Industrie die Gleichheit zwischen den Menschen verringert, ihre Mobilität auf ein System von industriell vorgeschriebenen Routen eingeschränkt und eine Zeitknappheit nie dagewesenen Ausmaßes geschaffen. Die Menschen werden, sobald die Geschwindigkeit ihrer Fahrzeuge eine gewisse Schwelle überschreitet, zu Gefangenen des täglichen Kreislaufs, der zum gleichen Punkt zurückkehrt, von dem er ausging.

Wenn mehr als ein gewisses Quantum Energie in das Transportsystem eingefüttert wird, so bedeutet dies, daß mehr Menschen sich im Laufe eines Tages schneller über weitere Distanzen bewegen und immer mehr Zeit einsetzen, um befördert zu werden. Der tägliche Radius eines jeden erweitert sich auf Kosten der Möglichkeit, den eigenen Weg zu gehen. Um den Preis einer universalen Versklavung werden extreme Privilegien geschaffen. Eine Elite legt in einem Leben voller Luxusreisen unbegrenzte Entfernungen zurück, während die Mehrheit den größeren Teil ihres Daseins mit dem ungewollten Umfahren von Flug- und Parkplätzen verbringt. Die wenigen besteigen ihren Zauberteppich, um zwischen entfernten Orten hin und her zu fliegen, die sie durch ihre flüchtige Gegenwart begehrt und verführerisch machen, während die vielen gezwungen sind, weiter und schneller zu fahren und mehr Zeit mit der Vorbereitung für und der Erholung von ihrem Arbeitsweg verbringen.

In den USA entfallen vier Fünftel aller von Menschen unterwegs verbrachten Stunden auf Berufspendler und zum Einkaufen fahrende Vorstadtbewohner, die kaum je ein Flugzeug besteigen, während vier Fünftel aller zu Urlaubs- oder Geschäftszwecken zurückgelegten Flugkilometer Jahr für Jahr denselben einundeinhalb Prozent der Bevölkerung vorbehalten bleiben, die entweder wohlhabend oder durch ihre Berufsausbildung privilegiert sind. Je schneller das Verkehrsmittel, desto größer seine Begünstigung durch die regressive Besteuerung. Gerade 0,2 Prozent der Gesamtbevölkerung der USA kann öfter als einmal im Jahr eine selbstgewählte Flugreise unternehmen, und nur wenige andere Länder sind in der Lage, einen prozentual ebenso großen «Jet-Set» zu unterhalten.

Der versklavte Ausflügler wie der sorgenfreie Reisende werden gleichermaßen vom Transport abhängig. Keiner bleibt frei davon. Gelegentliche Blitzreisen nach Acapulco oder zu einem Parteikongreß gaukeln dem Mittelstandsmitglied vor, er gehöre zur schrumpfenden Welt der eiligen, mächtigen Vorstandsmitglieder. Die gelegentliche Aussicht, ein paar Stunden angeschnallt in einem durch gewaltige Kräfte vorwärts getriebenen Sitz zu verbringen, macht selbst den Arbeiter zum Komplicen der Deformation des menschlichen Raums und bringt ihn dazu, sich damit abzufinden, daß die Geographie seines Landes für die Bedürfnisse der Fahrzeuge und nicht für die der Menschen eingerichtet wird.

Der Mensch hat sich langsam, physisch und kulturell, im Einklang mit den Bedingungen seiner kosmischen Nische entwickelt. Was für das Tier seine Umwelt ist, das hat er in langer Geschichte zu seinem Wohn-Raum zu machen gelernt. Sein Selbstbild verlangt nach Ergänzung durch einen Lebensraum und eine Lebenszeit, in die das Tempo seiner Fortbewegung integriert ist. Das bewußte Ebenmaß von Raum, Zeit und Tempo bestimmen ihn als Mensch. Wenn diese Beziehung durch die Geschwindigkeit der Fahrzeuge statt durch die Fortbewegung der Menschen bestimmt wird, dann wird der Mensch als Erbauer auf den Status des Pendlers reduziert.

Der typische amerikanische Mann widmet seinem Auto mehr als 1600 Stunden im Jahr. Er sitzt darin, während es fährt und während es stillsteht. Er parkt es und sucht es wieder auf. Er verdient das Geld, um dafür eine Anzahlung zu leisten und die monatlichen Raten zu bezahlen. Er arbeitet, um das Benzin, das Wegegeld, die Versicherung, die Steuern und die Strafzettel zu bezahlen. Er verbringt vier seiner sechzehn wachen Stunden auf der Straße oder damit, die Mittel für den Betrieb des Autos zu beschaffen. Diese Zahl beinhaltet nicht einmal die Zeit, die für andere, durch den Transport diktierte Aktivitäten aufgeht: die Zeit, die man im Krankenhaus, vor dem Verkehrsrichter oder in der Werkstatt verbringt; die Zeit, die man damit verbringt, die Automobilreklame zu studieren oder sich beraten zu lassen, um das nächste Mal einen besseren Kauf zu tätigen. Die Gesamtkosten von Autounfällen und vom Universitätsbetrieb sind fast überall in der gleichen Größenordnung und steigen mit dem Sozialprodukt an. Aber noch aufschlußreicher ist der Zeitraub durch Verkehr: Der typische amerikanische arbeitende Mann wendet 1600 Stunden auf, um sich 7500 Meilen fortzubewegen: das sind weniger als fünf Meilen pro Stunde. In Ländern, in denen eine Transportindustrie fehlt, schaffen die Menschen dieselbe Geschwindigkeit und bewegen sich dabei, wohin sie wollen – und sie wenden für den Verkehr nicht 28 Prozent, sondern nur 3 Prozent bis 8 Prozent ihres gesellschaftlichen Zeitbudgets auf. Der Verkehr in den reichen Ländern unterscheidet sich vom Verkehr in den armen Ländern nicht dadurch, daß für die Mehrheit mehr Kilometer auf die Stunde der einzelnen Lebenszeit entfallen, sondern dadurch, daß mehr Stunden mit dem Zwangskonsum der großen Energiemengen verbracht werden, welche die Transportindustrie «abpackt» und ungleich verteilt.[2]

Das Tempo lähmt die Phantasie

Jenseits einer gewissen Schwelle des Energiekonsums diktiert die Transportindustrie die Gestaltung des sozialen Raums. Die Fahrbahnen dehnen sich aus, sie treiben Keile zwischen städtische Nachbarn und trennen den mexikanischen Bauern weiter von seinen Feldern, als er zu Fuß gehen kann. Durch den Ambulanzwagen rückt das Sprechzimmer in Brasilien in weitere Ferne, als man ein krankes Kind zu tragen vermag. Der Arzt kommt in New York nicht mehr ins Haus, denn das Fahrzeug macht das Krankenhaus zum einzigen Ort, wo man krank sein darf. Sobald schwere Lastwagen ein hoch in den Anden gelegenes Dorf erreichen, verschwindet ein Teil des lokalen Marktes. Später, wenn gleichzeitig mit dem befestigten Highway die Oberschule an der Plaza Einzug hält, wandern immer mehr junge Leute in die Stadt an, bis es keine Familie mehr gibt, die sich nicht nach einem Wiedersehen mit irgend jemandem sehnt, der Hunderte Kilometer entfernt drunten an der Küste lebt.

Wie unterschiedlich das oberflächliche Bild auch sein mag, wirken sich gleiche Geschwindigkeiten für reiche wie für arme Länder doch gleich zerstörerisch auf die Wahrnehmung von Raum, Zeit und Kraft aus. Überall prägt die Transportindustrie einen neuen Menschentypus, der auf Schienen paßt und nach Fahrplänen läuft.

Das Produkt der Transportindustrie ist der beförderungssüchtige Gewohnheitspassagier. Er ist aus jener Welt vertrieben, in der die Menschen sich noch immer aus eigener Kraft fortbewegen, und er hat das Gefühl verloren, im Mittelpunkt seiner Welt zu stehen. Dem Gewohnheitspassagier ist die sich verschärfende Zeitknappheit bewußt; sie rührt aus dem täglichen Angewiesensein auf Autos, Busse, U-Bahnen und Aufzüge her, die ihn zwingen, im Schnitt 30 Kilometer täglich zurückzulegen, wobei seine Wege sich häufig in einem Radius von weniger als 5 bis 10 Kilometer überschneiden. Er hat den Boden unter den Füßen verloren und ist auf das Rad geschnallt. Ganz gleich, ob er die U-Bahn oder ein Flugzeug benutzt, er kommt sich langsamer und ärmer als die anderen, schnelleren vor, und er ist neidisch auf die Abkürzungen, die sich die wenigen Privilegierten, die den Frustrationen des Verkehrs zu entgehen wissen, leisten können. Wenn er an den Fahrplan seines Pendelzugs gefesselt ist, träumt er von einem Auto. Wenn die *rush-hour* ihn erschöpft, ist er neidisch auf das Tempo, mit dem der «Kapitalist» in der Gegenrichtung des Verkehrsstroms fährt. Wenn er sein Auto aus eigener Tasche bezahlen muß, dann weiß er nur zu genau, daß jene, die über Firmenfuhrparks gebieten, ihre Benzinrechnung als Spesen einreichen und den Leihwagen als Geschäftsunkosten abschreiben. Der Gewohnheitspassagier sitzt täglich stundenlang am unteren Ende der Skala zunehmender Ungleichheit, Zeitknappheit und persönlichen Ohnmacht, aber er sieht keinen anderen Weg aus dieser Zwangslage, als noch mehr vom Immergleichen zu fordern: besseren Verkehr durch schnellere Beförderung. Er drängt auf technische Änderungen in der Planung von Fahrzeugen, Straßen und Fahrplänen; oder aber er wirbt für eine Revolution, die schnellen Massentransport durch die Verstaatlichung der Transportmittel herbeiführen soll. In keinem Fall kalkuliert er den Preis für die Beförderung in eine bessere Zukunft. Er vergißt, daß er selbst es ist, der – in Form von Gebühren oder Steuern – die Rechnung für weitere Beschleunigung bezahlt. Er übersieht die indirekten Kosten für die Ablösung der privaten Autos durch gleich schnelle öffentliche Transportmittel. Er ist nicht mehr fähig, sich den Vorteil der Muskelkraft gegenüber dem Kraftfahrzeug vorzustellen.

Der Gewohnheitspassagier ist also nicht mehr imstande, den Unfug eines überwiegend auf Transportmitteln beruhenden Verkehrs zu durchschauen. Seine überkommene Wahrnehmung von Raum, Zeit und persönlichem Tempo sind industriell deformiert. Er hat die Freiheit verloren, sich selbst außerhalb der Rolle des Passagiers zu sehen. Seine Sucht, sich fahren zu lassen, läßt ihn die Kontrolle über die physische, soziale und psychische Kraft verlieren, die den Füßen des Menschen innewohnt. Der voll ausgebildete Transportkonsum erlebt sich als Körper, der durch den Raum gejagt wird. Als Kraftfahrer lenkt, beschleunigt und bremst er auf vorgeschriebenen Bahnen ohne Sinn für leibhaftige Macht über Land und Boden. Sich selbst überlassen, ist er unbeweglich, verlassen, heimatlos.

Der zur Fracht gewordene Mensch spricht eine neue Sprache. Sich «treffen» heißt für ihn, durch Fahrzeuge zusammengebracht werden, oder über das Mikrofon zu sprechen; Bewegungsfreiheit, das Recht, sich befördern zu lassen. Wenn die Sprache so schrumpft, sind die Füße politisch entmachtet. Politische Betätigung setzt so den Verbrauch von warenhaften Dienstleistungen voraus. Was der Mensch sich wünscht, ist daher nicht: mehr Freiheit für den Bürger, sondern bessere Dienstleistung für den Kunden. Er verficht nicht seine Freiheit, sich fortzubewegen und mit anderen zu sprechen, sondern sein Recht, befördert und informiert zu werden. Er wünscht eine bessere Ware statt der Freiheit von der Versklavung durch diese. Lebenswichtig wäre es für ihn zu erkennen, daß die Akzeleration seiner Ansprüche auf ihn selbst zurückschlägt und daß sie zum Niedergang von Freiheit, Muße und Selbständigkeit führen muß.

Unkontrollierte Geschwindigkeit ist kostspielig, und wir können sie uns immer weniger leisten. Jeder Geschwindigkeitszuwachs eines Fahrzeugs führt zur Vermehrung der Kosten für Antrieb, Straßen- oder Schienenbau und – was am schwersten ins Gewicht fällt – für den Raum, den das Fahrzeug beansprucht, während es unterwegs ist. Ist eine gewisse Schwelle des Energieverbrauchs durch den schnellsten Reisenden einmal überschritten, dann entsteht eine weltweite Klassenstruktur von Geschwindigkeitskapitalisten. Der Tauschwert der Zeit gewinnt die Oberhand, und dies spiegelt sich in der Sprache wider: Zeit wird aufgewandt, gespart, investiert, vergeudet oder genutzt. Die Gesellschaft hängt jedem sein Preisschildchen an, das den Wert *seiner* Stunde angibt, und je schneller es geht, um so größer werden die Preisdifferenzen. Zwischen Chancengleichheit und Geschwindigkeit besteht eine umgekehrte Korrelation.

Ein hohes Tempo verzinst die Zeit einiger weniger zu enormen Sätzen, doch paradoxerweise geschieht dies unter hohen Kosten für diejenigen, deren Zeit weniger hoch bewertet wird. In Bombay besitzen nur wenige ein Auto. Sie brauchen nur einen Vormittag, um nach Puna zu gelangen: die moderne Wirtschaft zwingt sie zu einem wöchentlichen Besuch. Vor zwei Generationen war diese Reise nach Puna noch ein wochenlanger Treck, den man einmal im Jahr unternahm. Das Auto, das heute scheinbar die Wirtschaft ankurbelt, unterbricht aber auch den Verkehrsfluß von Tausenden Fahrrädern und Rikschas, die sich durch das Zentrum von Bombay fortbewegen, und lähmt eine ganze Gesellschaft. Der summierte transportbedingte Zeitaufwand und die Verstümmelung einer Gesellschaft nehmen schneller zu als die Zeitersparnis, die einige wenige bei ihren Exkursionen machen. Überall nimmt der Verkehr mit der Verfügbarkeit kraftstrotzender Transportmittel unbeschränkt zu. Mit den Beförderungsmöglichkeiten steigt der Zeitmangel. Jenseits einer gewissen kritischen Schwelle ist der Zeitverlust, den die Produkte der Transportindustrie verursachen, größer als die Ersparnis. Der Preis für den marginalen Nutzen steigender Geschwindigkeit für eine kleine Zahl ist der anschwellende marginale Schadenzuwachs (*rising marginal dis-utility*) der großen Mehrheit, der durch diese zeitraubende Beschleunigung verursacht wird.

Jenseits einer kritischen Geschwindigkeit kann niemand Zeit «sparen», ohne daß er einen anderen zwingt, Zeit zu «verlieren». Derjenige, der einen Platz in einem schnelleren Fahrzeug beansprucht, behauptet damit, seine Zeit sei wertvoller als die Zeit dessen, der in einem langsameren Fahrzeug reist. Jenseits einer gewissen Geschwindigkeit wird der Passagier zum Räuber: er konsumiert die Zeit der anderen und plündert die Masse der Gesellschaft. Die Beschleunigung seines Fahrzeugs wird zum Mittel eines Netto-Transfers von Recht über Lebenszeit. Das Maß dieses Transfers ist in Geschwindigkeitsquanten meßbar. Dieses Zeitraffen benachteiligt jene, die zurückbleiben, und da diese die Mehrheit sind, wirft es ethische Probleme von allgemeinerer Natur auf als die der Nierendialyse oder der Transplantation von Organen. Eine Gesellschaft, die das Zeitraffen der Auserwählten nicht nur duldet, sondern auch wünscht, unterwirft sich freiwillig dem Imperialismus mechanischer Gewalt.

Jenseits einer kritischen Geschwindigkeit schaffen Motorfahrzeuge entfremdende Entfernungen, die nur sie überbrücken können. Abwesenheit wird zur Regel, Anwesenheit zur Ausnahme. Eine neue Sandstraße durch die brasilianische Wildnis bringt die Großstadt in den Gesichtskreis, nicht aber in die Reichweite der meisten Subsistenzbauern. Die neue Schnellstraße durch Chicago expandiert diese Stadt, aber sie absorbiert jene, die gut genug motorisiert sind, um sich von einem Zentrum fernzuhalten, das zu einem Getto verkommt. Wachsende Beschleunigung verschärft die Ausbeutung des Schwächeren in Illinois wie im Iran.

Vom Zeitalter des Cyrus bis zum Zeitalter der Dampfmaschine blieb die Geschwindigkeit des Menschen unverändert. Nachrichten reisten nicht schneller als 150 Kilometer pro Tag, ganz gleich wie die Botschaft befördert wurde. Weder der Läufer des Inka noch die venetianische Galeere, weder der persische Reiter noch die Postkutsche aus den Tagen Ludwigs XIV. konnten diese Barriere durchbrechen. Krieger, Entdecker, Kaufleute und Pilger legten dreißig Kilometer am Tag zurück. Wie Valéry sagte, kam Napoleon immer noch mit der Langsamkeit Caesars voran: *Napoléon va à la même lenteur que César.* Der Kaiser wußte, daß der öffentliche Wohlstand am Einkommen der Postkutschen gemessen wird (*On mésure la prospérité publique aux comptes des diligences*) – aber er konnte diese kaum beschleunigen. Von Paris nach Toulouse brauchte man zur Zeit der Römer 200 Stunden, und 1782 brauchte die fahrplanmäßige Postkutsche immer noch 158 Stunden. Erst das 19. Jahrhundert beschleunigte den Menschen. 1830 war die Reisezeit auf 110 Stunden verringert, aber um einen neuen Preis: In diesem Jahr stürzten 1150 Kutschen um und verursachten mehr als tausend Todesfälle. Dann brachte die Eisenbahn einen plötzlichen Wandel. 1855 konnte Napoleon III. behaupten, er habe die Strecke Paris–Marseille im Zug mit einem Durchschnitt von 96 km/h zurückgelegt. Zwischen 1850 und 1900 vermehrte sich die Produktion von Passagier-Kilometern in Frankreich um das Hundertfache. Englands Eisenbahnnetz erreichte 1893 seine größte Ausdehnung. Die Reisezüge erreichten ihr Kostenoptimum, berechnet nach der für Unterhalt und Nutzung aufgewandten Zeit. Mit der weiteren Beschleunigung begann der Transport, das Verkehrswesen zu beherrschen. Geschwindigkeit begann, Reiseziele hierarchisch zu ordnen. Die Anzahl der angesetzten Pferdestärken bestimmt die Klasse der reisenden Geschäftsführer mit einem Aufwand, den sich Könige nicht träumen ließen. Jede Folge von Etappen degradiert jene, die auf eine geringere Kilometerleistung pro Jahr festgelegt sind. Diejenigen, die sich aus eigener Kraft fortbewegen müsen, sind nunmehr als unterentwickelte Außenseiter definiert. Sage mir, wie schnell du reist, und ich sage dir, wer du bist. Wer diese Steuergelder in Anspruch nehmen kann, mit denen die «Concorde» gespeist wird, gehört zweifellos zur Spitze.

Im Laufe der letzten zwei Generationen wurde das Fahrzeug zum Symbol der Karriere, genau wie die Schule zum Symbol des sozialen Startvorsprungs wurde. Eine solche Konzentration der Macht muß ihre eigene Begründung hervorbringen. In kapitalistischen Ländern wird die Verausgabung öffentlicher Gelder, um einen Menschen jedes Jahr mehr Kilometer zu kürzerer Zeit reisen zu lassen, mit den noch größeren Investitionen begründet, die aufgewandt wurden, um ihm eine längere Ausbildung zu geben. Sein vermeintlicher Wert als kapitalintensives Produktionsmittel bestimmt das Tempo, mit dem er befördert wird. Der hohe soziale Wert des Wissens-Kapitalisten ist nicht die einzig brauchbare Begründung für die privilegierte Würdigung der Zeit einer Elite. Neben dem hohen Grad an Wissensbesitz sind andere ideologische Etiketten ebenso nützlich, um die Kabinentür zu einem Luxus zu öffnen, den die anderen bezahlen. Wenn es heute nötig ist, die Gedanken des Vorsitzenden Mao im Düsenjet durch China zu hetzen, dann kann dies nur bedeuten, daß jetzt schon zwei Klassen erforderlich sind, um das in Gang zu halten, was diese Revolution auf einem langen Marsch geschaffen hat, zwei Klassen, von denen die eine in der Geographie der Massen und die andere in der Geographie der Kader lebt. Gewiß hat die Unterdrückung der Zwischenstufen von Geschwindigkeit in der Volksrepublik China eine effizientere und rationalere Konzentration der Macht ermöglicht, doch sie unterstreicht auch den neuen Wertunterschied zwischen der Zeit des Ochsentreibers und der Zeit des düsengetriebenen Funktionärs. Unweigerlich konzentriert die Geschwindigkeitsbeschleunigung die Pferdestärken unter den Sitzen einiger weniger und fügt zum sich verschärfenden Zeitmangel der meisten Pendler das Gefühl des Zurückgebliebenseins hinzu.

Die Notwendigkeit ungleicher Privilegien in einer Industriegesellschaft wird für gewöhnlich mit Hilfe einer zweiseitigen Argumentation vertreten. Das Privileg wird als notwendige Vorbedingung für das wachsende Wohlergehen der Gesamtbevölkerung akzeptiert, oder es wird als Instrument für die Hebung des Lebensstandards einer benachteiligten Minorität angepriesen. Die Scheinheiligkeit dieser Argumentation erweist sich klar am Beispiel der «Geschwindigkeitsbeschleunigung». Auf lange Sicht bewirkt der sich beschleunigende Transport weder das eine noch das andere. Er schafft lediglich eine universelle Nachfrage nach motorisierter Beförderung und trennt die verschiedenen Schichten der Privilegierung durch bisher unvorstellbare Höhenunterschiede. Jenseits einer bestimmten Stufe muß mehr Energie mehr Ausbeutung bedeuten. Unbillige Begünstigung auf Kosten der Mehrheit schwillt an mit dem Tempo des schnellsten Verkehrsmittels.

Wir sollten nicht übersehen, daß Spitzengeschwindigkeiten für einige wenige einen anderen Preis fordern als hohe Geschwindigkeiten für alle. Die soziale Klassifikation nach Geschwindigkeitsstufen erzwingt einen Netto-Transfer von Macht: Die Armen arbeiten und bezahlen, nur um zurückzubleiben. Aber wenn die Mittelklassen einer beschleunigten Gesellschaft vielleicht versucht sind, diese Diskriminierung zu ignorieren, so können sie doch nicht die wachsenden Kosten unbegrenzt ertragen. Umweltzerstörung und die militärisch unterstützte Ausbeutung begrenzter Rohstoffe sind Kosten, die derzeit in die Augen springen. Sie könnten leicht einen noch fundamentaleren Preis der Beschleunigung verdecken. Hohe Geschwindigkeiten für alle bedeuten, daß jedem weniger Zeit für sich selbst bleibt, da die gesamte Gesellschaft einen wachsenden Anteil der verfügbaren Zeit für die Beförderung von Menschen aufwendet. Fahrzeuge, welche die kritische Geschwindigkeit überschreiten, haben nicht nur die Tendenz, Ungleichheit zu diktieren, sondern sie schaffen auch notwendig eine sich selbst genügende Industrie, die ein zweckwidriges Beförderungssystem unter dem Anschein technologischer Raffinesse verbirgt. Ich bin der Meinung, daß eine Geschwindigkeitsbegrenzung nicht nur zur Wahrung der Gerechtigkeit notwendig ist; ebenso ist sie eine Bedingung für die Wirksamkeit der Verkehrsmittel: für die Steigerung der in einer Gesellschaft zurückgelegten Gesamtdistanz und für die Verringerung der in einer Gesellschaft für Ortsveränderungen aufgewandten Zeit.

Die Auswirkungen der Fahrzeuge auf das 24-Stunden-Zeitbudget von Individuen und Gesellschaften sind kaum erforscht. Verkehrsstudien liefern uns Statistiken über den Zeitaufwand pro Kilometer, über den in Dollars gemessenen Wert der Zeit oder über die Reisedauer. Doch diese Statistiken sagen nichts über die verborgenen Transportkosten – darüber, wie der Verkehr an der Lebenszeit nagt, über die Vervielfachung der durch die Existenz von Fahrzeugen notwendig gewordenen Reisen, über die Zeit, die direkt oder indirekt für die Vorbereitung von Ortswechseln aufgewandt wird. Ferner gibt es keinen Maßstab für die noch tiefer verborgenen Kosten des Transportwesens,

etwa höhere Mieten in Gegenden, die günstig an den Verkehrs-
strom angeschlossen sind, oder die Kosten für den Schutz dieser
Gebiete vor dem durch Fahrzeuge verursachten Lärm, Schmutz
und vor den Gefahren für Leib und Leben. Das Fehlen einer
Kostenrechnung zum gesellschaftlichen Zeitbudget sollte uns
jedoch nicht zu der Annahme verleiten, das eine solche Berechnung unmöglich sei, noch sollte sie uns davon abhalten, aus dem
wenigen, das wir wissen, Schlüsse zu ziehen. Unsere beschränkten Informationen zeigen, daß überall auf der Welt, nachdem ein
Fahrzeug die Geschwindigkeitsbarriere von 25 km/h überschritt,
der verkehrsbedingte Zeitmangel zunahm. Nachdem die Industrie diese Schwelle des Pro-Kopf-Ausstoßes erreicht hatte,
machte der Verkehr den Menschen zu einem Heimatlosen neuen
Typus: einem Geschöpf, das dauernd seinem Bestimmungsort
fern ist und ihn aus eigener Kraft nicht erreichen kann, doch
täglich erreichen muß. Heute arbeiten die Menschen einen er-
heblichen Teil des Tages, um das Geld zu verdienen, das sie
brauchen, um überhaupt zur Arbeit zu kommen. Seit zwei Generationen wächst in Industrieländern die für den Arbeitsweg ver-
wendete Zeit viel schneller an, wie die am Arbeitsplatz verbrachte Zeit schrumpft. Die Zeit, die eine Gesellschaft für den Transport aufwendet, wächst proportional zur Geschwindigkeit ihres
schnellsten öffentlichen Verkehrsmittels. Auf beiden Gebieten
liegt Japan heute vor den USA in Führung. Die Lebenszeit wird
angefüllt mit durch Verkehr erzeugten Aktivitäten, sobald die
Fahrzeuge die Schranke durchbrechen, welche die Menschen vor
Entfremdung und den Raum vor Zerstörung bewahrt.

Ob das auf der Landstraße dahinrasende Fahrzeug dem Staat
oder dem einzelnen gehört, ist kaum von Belang für die mit jeder
Geschwindigkeitssteigerung anwachsende Zeitknappheit und
Überprogrammierung. Um einen Menschen über eine gegebene
Entfernung zu befördern, benötigen Omnibusse nur ein Drittel
der Treibstoffmenge, die Pkw verbrennen. Pendelzüge sind bis
zu zehnmal leistungsfähiger als Autos. Sie verbrennen auch nicht
pro Woche den Sauerstoff, den ein Mensch für ein Jahr braucht.
Beide könnten noch wirksamer und weniger umweltschädigend
eingesetzt werden. In öffentlichem Eigentum und mit rationalem
Management müssen sie so geplant und betrieben werden, daß
die Privilegien, die sie gegenwärtig in privatem Besitz und bei

inkompetenter Organisation schaffen, erheblich beschnitten werden könnten. Doch solange irgendein Fahrzeugsystem sich unserer Gesellschaft durch seine unbeschränkte Spitzengeschwindigkeit aufdrängt, ist die Öffentlichkeit vor die Wahl gestellt, mehr Zeit aufzuwenden, um die Beförderung von mehr Menschen von Tür zu Tür zu bezahlen, oder mehr Steuern zu zahlen, damit einige in der Lage sind, in kürzerer Zeit viel weiter zu reisen als andere. Die Größenordnung der innerhalb eines Transportsystems zugelassenen Spitzengeschwindigkeit bestimmt, welchen Anteil ihres Zeitbudgets eine Gesellschaft für den Verkehr aufwendet.

Das radikale Monopol der Industrie

Es läßt sich nicht sinnvoll über eine wünschenswerte Plafondierung der Fahrgeschwindigkeit diskutieren, ohne daß wir auf die Unterscheidung zwischen Fortbewegung aus eigener Kraft – Transit – und motorisiertem Transport zurückgreifen und vergleichen, welchen Beitrag jedes dieser Elemente in bezug auf die Gesamtheit der menschlichen Ortsveränderung, die ich als Verkehr bezeichnet habe, leistet.

Transport steht für die kapitalintensive Form des Verkehrs ein, und Transit bezeichnet die arbeitsintensive Form. Transport ist das Produkt einer Industrie, deren Kunden die Passagiere sind. Er ist eine industrielle Ware, und daher allein schon «knapp». Eine Verbesserung des Transports findet jeweils unter den Bedingungen der Knappheit statt, die sich um so mehr verschärft, als die Geschwindigkeit – und damit die Kosten – der Dienstleistung zunimmt. Konflikte um einen unzulänglichen Transport tendieren dazu, die Form eines Null-Summenspiels anzunehmen, bei dem der eine nur dann gewinnt, wenn der andere verliert. Im besten Fall erlaubt ein solcher Konflikt eine Lösung nach Art des von A. Rappaport beschriebenen Dilemmas, in dem zwei Gefangene stehen: Wenn beide mit dem Gefängniswärter kooperieren, kommen beide Gefangenen mit einer kürzeren Zeit in der Zelle davon.

Fortbewegung im Sinn von Transit ist nicht das Produkt einer Industrie, sondern das autonome Unternehmen derer, die sich fortbewegen. Per definitionem hat sie einen Gebrauchswert, braucht jedoch keinen Tauschwert zu haben. Fortbewegung aus eigener Kraft beruht nicht auf Warentausch. Die Fähigkeit, am Transit teilzunehmen, ist dem Menschen angeboren und mehr oder minder gleich unter gesunden Individuen gleichen Alters verteilt. Die Ausübung dieser Fähigkeit kann beschränkt werden, indem einer bestimmten Klasse Menschen das Recht versagt wird, einen bestimmten Weg zu nehmen, oder weil es einer Bevölkerung an Schuhen oder Wegen fehlt. Konflikte über unzulängliche Transitbedingungen tendieren daher dazu, die Form eines Nicht-Null-Summenspiels anzunehmen, bei dem die meisten Teilnehmer an Beweglichkeit und Bewegungsraum gewinnen.

Die Gesamtheit des Verkehrs ist also das Ergebnis von zwei grundverschiedenen Produktionsweisen: einer kapital- und einer arbeitsintensiven Form. Diese können einander nur so lange harmonisch ergänzen, wie die autonomen Produkte gegen das Eindringen des Industrieprodukts geschützt werden.

Der Schaden, den unser heutiger Verkehr anrichtet, ist durch das Transportmonopol bedingt. Der Reiz der Geschwindigkeit hat Nationen fortschrittsgläubiger Passagiere verführt, sich auf die Versprechungen einer Industrie einzulassen, die den kapitalintensiven Verkehr produziert. Der Gewohnheitspassagier ist überzeugt, daß die überschnellen Fahrzeuge ihm einen Fortschritt über jene beschränkte Autonomie hinaus ermöglichen, deren er sich erfreute, solange er sich aus eigener Kraft fortbewegte. Er läßt zu, daß der geplante Transport gegenüber der Alternative eines autonomen Transits dominiert. Die Zerstörung der physischen Umwelt ist die noch am wenigsten schädliche Folge dieses Zugeständnisses. Weit schwerwiegendere Folgen sind die Vervielfachung der psychischen Frustration, die wachsenden Nachteile der fortgesetzten Produktion und die Unterwerfung unter eine ungleiche Machtverteilung – die sämtlich Manifestationen eines gestörten Verhältnisses zwischen Lebenszeit und Lebensraum sind. Der Passagier in einer durch den Transport entfremdeten Welt wird zu einem verstörten, überlasteten Konsumenten von Entfernungen, die sich durch Güter und Dienstleistungsproduktion stets ausdehnen.

Jede Gesellschaft, die den Zwang zur Beförderung diktiert,

unterdrückt den Transit zugunsten des Transports. Wo immer denen, die keine überschnellen Beförderungsmittel benutzen, nicht nur Privilegien, sondern auch elementare Bedürfnisse verweigert werden, wird eine unfreiwillige Beschleunigung des individuellen Rhythmus erzwungen. Sobald das tägliche Leben von motorisierter Beförderung abhängig wird, beherrscht die Industrie den Verkehr. Diese tiefgreifende Herrschaft der Transportindustrie über die natürliche Mobilität begründet ein viel beherrschenderes Monopol als etwa das kommerzielle Monopol, das Ford auf dem Automobilmarkt gewinnen könnte, oder das politische Monopol, das die Automobilhersteller gegenüber der Entwicklung des Eisenbahn- oder Busverkehrs ausüben mögen. Ford kann das Mittel zur Überwindung einer Entfernung einem Monopol unterwerfen, und mittels der Bahn kann Fords Monopol gebrochen werden. Das überschnelle Beförderungsmittel tut mehr: es schafft entfremdende Entfernung. Wegen seines verborgenen und tiefgreifend strukturierenden Charakters nenne ich es ein radikales Monopol. Ein solches festbegründetes Monopol übt jede Industrie aus, sobald sie zum dominierenden Mittel der Befriedigung von Bedürfnissen wird, die vorher eine individuelle Reaktion auslösten. Der Zwangskonsum einer Ware mit hohem Energieverbrauch (des motorisierten Transports) beschneidet die Voraussetzungen für den Genuß eines reichlich vorhandenen Nutzwertes (der angeborenen Fähigkeit zur Fortbewegung). Der Verkehr bietet darin das Exempel eines allgemeinen ökonomischen Gesetzes: *Jedes Industrieprodukt, dessen Pro-Kopf-Verbrauch eine gegebene Höhe überschreitet, übt ein radikales Monopol über die Befriedigung eines Bedürfnisses aus.* Jenseits einer gewissen Schwelle zerstört der Schulzwang die Bedingungen des Lernens, veröden medizinische Versorgungssysteme die nichttherapeutischen Quellen der Gesundheit und erstickt der Transport den Verkehr.

Zuerst wird das radikale Monopol errichtet durch eine Umordnung der Gesellschaft zum Nutzen derer, denen die größere Quantität zur Verfügung steht, sodann wird es verstärkt, indem alle gezwungen werden, jene minimale Quantität zu konsumieren, in der das Produkt gerade hergestellt wird. In Industriezweigen, in denen die Information dominiert, etwa im Ausbildungs- oder medizinischen Sektor, wird der Zwangskonsum eine andere Erscheinung annehmen als in solchen Zweigen, wo die Quantitäten mit dem BTU(British Thermal Units)-Parameter gemessen werden können, etwa Wohnungsbau, Bekleidungsindustrie oder Transport. Bei verschiedenen Produkten wird die industrielle Wertzuweisung ihre kritische Intensität auf verschiedenen Stufen erreichen, doch für jede wichtige Klasse von Produkten liegt die Schwelle in einer theoretisch angebbaren Größenordnung. Je höher die Geschwindigkeitsgrenze einer Gesellschaft, um so bedrückender wird das Monopol des Transports. Die Tatsache, daß es möglich ist, den Geschwindigkeitsbereich zu bestimmen, in dem der Transport ein radikales Monopol über den Verkehr zu gewinnen beginnt, besagt nicht, daß es auch möglich wäre, einfach theoretisch zu bestimmen, für welche obere Geschwindigkeitsschranke eine Gesellschaft sich entscheiden sollte. Keine Theorie, sondern nur Politik kann bestimmen, ein wie starkes Monopol eine gegebene Gesellschaft noch tolerieren will. Die Tatsache, daß es möglich ist, eine Stufe der Zwangsunterweisung zu bestimmen, auf der der Lerneffekt durch Sehen und Tun im praktischen Leben abzunehmen beginnt, befähigt den Theoretiker noch nicht, die spezifischen pädagogischen Grenzen der Industrialisation zu bestimmen, die eine Kultur tolerieren kann. Nur der Rekurs auf juridische und vor allem politische Verfahren kann zu spezifischen, wenn auch provisorischen Maßnahmen führen, durch welche dem Tempo oder der Zwangsausbildung in einer Gesellschaft tatsächlich eine Schranke gesetzt werden mag. Das Übergreifen des radikalen Monopols läßt sich in einem theoretisch ausgebauten Schema durch die soziale Analyse feststellen, aber das Ausmaß freiwilliger Beschränkung läßt sich nur im politischen Prozeß freilegen. Ein Industriezweig diktiert einer ganzen Gesellschaft ein radikales Monopol nicht schon durch die einfache Tatsache, daß er knapp Produkte produziert, oder weil er konkurrierende Industrieunternehmen vom Markt verdrängt, sondern vielmehr kraft seiner erworbenen Fähigkeit, gerade das Bedürfnis zu schaffen und zu formen, das er allein befriedigen kann.

Schuhe sind in ganz Lateinamerika knapp, und viele Menschen tragen niemals welche. Sie gehen barfuß oder tragen ausgezeichnete Sandalen von allerbreitester Vielfalt, die von den verschiedensten Handwerkern hergestellt werden. Ihre Fortbewegung ist keineswegs durch die fehlenden Schuhe beeinträchtigt. Doch in manchen südamerikanischen Ländern sind die Menschen gezwungen, Schuhe zu tragen, seit Barfüßigen der Zutritt zu Schulen, Arbeitsplätzen und allen öffentlichen Ämtern verwehrt ist. Lehrer oder Parteifunktionäre fassen das Fehlen von Schuhen als Zeichen der Gleichgültigkeit gegenüber dem «Fortschritt» auf. Ohne jede absichtliche Verschwörung zwischen den Förderern der nationalen Entwicklung und der Schuhindustrie sind die Barfußgehenden in diesen Ländern von jedem wichtigeren Amt ausgeschlossen.

Wie Schuhe, so waren auch Schulen zu allen Zeiten knapp. Doch nie kam es vor, daß die geringe Zahl privilegierter Schüler die Schule in ein Lernhemmnis verwandelte. Erst als Gesetze erlassen wurden, die beschränkten Schulzwang und unbeschränkte Gebührenfreiheit einführten, gewann der Erzieher die Macht, den Unterkonsumenten von Ausbildungstherapien die Lernchancen am Arbeitsplatz zu verwehren. Erst nachdem der Schulbesuch obligatorisch geworden war, wurde es möglich, allen eine zunehmend komplexere, geplante Umwelt aufzuzwingen, in die die Ungebildeten und Unprogrammierten nicht hineinpaßten.

Im Fall des Verkehrs sind die Möglichkeiten eines radikalen Monopols nicht zu übersehen. Man stelle sich vor, was geschähe, wenn die Transportindustrie ihr Produkt irgendwie adäquater verteilen könnte: Ein Verkehrsutopia der kostenlosen schnellen Beförderung für alle würde unvermeidlich zu einer weiteren Expansion der Beherrschung des menschlichen Lebens durch den Verkehr führen. Wie würde solch ein Utopia aussehen? Der Verkehr würde ausschließlich in öffentlichen Transportsystemen organisiert. Er würde durch eine progressive Besteuerung finanziert, die nach dem Einkommen und der Nähe des Wohnorts zur nächsten Zusteigestation und zum Arbeitsplatz berechnet würde. Er würde so programmiert, daß jeder nach dem Prinzip: wer zuerst kommt, fährt zuerst, einen Platz beanspruchen könnte – dem Arzt, dem Urlauber und dem Präsidenten würden keinerlei individuelle Vorrechte zugestanden. In diesem Narrenparadies wären alle Reisenden gleich, aber sie wären auch gleichermaßen Gefangene des Transportkonsums. Jedem Bürger eines motorisierten Utopia wäre der Gebrauch seiner Füße verwehrt, und er würde in die Sklaverei der wuchernden Transportnetze geführt.

Manche als Architekten maskierte Möchtegern-Wundertäter weisen einen trügerischen Ausweg aus dem Dilemma der Geschwindigkeit. Nach ihrer Auffassung diktiert die Beschleunigung nur deshalb Ungerechtigkeit, Zeitverlust und kontrollierte Fahrpläne, weil die Menschen noch nicht in jenen Formen und Bahnen leben, in die die Fahrzeuge sie ohne weiteres versetzen können. Diese futuristischen Architekten möchten die Menschen in autarken Turmeinheiten wohnen und arbeiten lassen, welche durch Schienen für superschnelle Kabinen miteinander verbunden sind. Soleri, Doxiadis oder Fuller möchten das durch den superschnellen Transport geschaffene Problem dadurch lösen, daß sie den gesamten Lebensbereich des Menschen in das Problem einbeziehen. Statt zu fragen, wie die Erdoberfläche für den Menschen erhalten werden kann, fragen sie, wie Reservate auf einer Erde geschaffen werden können, die um industrieller Produkte willen deformiert wurde.

Der verborgene Schwellenwert

Jede auf ein verkehrsgerechtes Optimum begrenzte Geschwindigkeit erscheint dem eingeschworenen Passagier als ein kapriziöses oder fanatisches Unterfangen, während sie dem Eseltreiber wie der Vogelflug erscheint. Die vier- bis sechsfache Geschwindigkeit eines Fußgängers stellt eine Schwelle dar, die vom Gewohnheitsreisenden für zu niedrig erachtet wird, um überhaupt in Erwägung gezogen zu werden, und die für zwei Drittel der Menschheit, die sich immer noch aus eigener Kraft fortbewegen, zu hoch ist, um den Sinn einer Beschränkung zu haben.

Alle, die das Wohnen, den Transport und die Ausbildung planen, gehören zur Klasse der Beförderungsverbraucher. Ihr Machtanspruch leitet sich vom Wert ab, den ihre staatlichen oder privaten Arbeitgeber der Beschleunigung von Eliten beimessen. Der Sozialwissenschaftler kann ein Computermodell des Verkehrs in Kalkutta oder Santiago ausarbeiten: Ingenieure können nach abstrakten Vorstellungen vom Verkehrsfluß Einschienenbahnnetze planen. Ihr Glaube an die Effektivität der Macht macht sie blind für die überproportional größere Effektivität des Verzichts auf ihren Einsatz. Mit gewaltiger Energie vergrößern sie Probleme, die nur der Verzicht lösen kann. Es fällt ihnen nicht ein, der Beschleunigung zu entsagen und um der Möglichkeit eines optimalen Verkehrsflusses willen so wenig wie möglich und so langsam wie möglich zu fahren. Sie kämen nie auf den Gedanken, einen Computer unter der Vorgabe zu programmieren, daß in der Stadt kein Fahrzeug schneller als mit der Geschwindigkeit eines Fahrrads fahren sollte. Ein mechanistisches Vorurteil verhindert es bisher, die beiden Komponenten des Verkehrs in ein und demselben Verkehrs-Simulationsmodell zu optimieren. Der Entwicklungsexperte, der von seinem Land-Rover mitleidig auf den indianischen Bauern hinabblickt, der seine Schweine zum Markt treibt, ist nicht bereit, die relative Überlegenheit der Füße anzuerkennen. Der Experte ist geneigt zu vergessen, daß dieser Mann zu dem Zehntel der Mitbewohner seines Dorfes gehört, die ihre Zeit auf der Straße vertun, während der Ingenieur und alle Mitglieder seiner Familie gezwungen werden, einen großen Teil jedes Tages dem Verkehr zu opfern. Für einen Mann, der glaubt, sich die menschliche Mobilität nur im Sinn eines unbegrenzten Fortschritts vorstellen zu können, kann es kein optimales Verkehrsniveau, sondern nur einen flüchtigen Konsens über eine gegebene Stufe der technischen Entwicklung geben. Der Träger von Entwicklungswut und der von ihm infizierte afrikanische Kollege wird für die optimale Wirksamkeit karger Technologie blind. Beschränkung des Energieverbrauchs kommt für sie wohl in Betracht, um die Umwelt zu schützen; einfache Technologie, um provisorisch die Armen zu beschwichtigen; Geschwindigkeitsgrenzen, damit mehr Autos auf weniger Asphalt rollen. Aber Selbstbeschränkung, um das Mittel davor zu bewahren, daß es seinen Eigenzweck verliere, das liegt außerhalb seines Horizonts.

Die meisten Mexikaner, ganz zu schweigen von Indern und Afrikanern, finden sich in einer ganz anderen Situation als der eingefleischte Transportkonsument. Für sie liegt die kritische Schwelle gänzlich jenseits dessen, was alle mit Ausnahme einiger weniger kennen oder erwarten. Sie gehören immer noch zur Klasse derer, die sich aus eigenem Antrieb fortbewegen. Manche von ihnen bewahren die Erinnerung an ein motorisiertes Abenteuer, doch die meisten von ihnen haben nie selbst die Erfahrung gemacht, sich der kritischen Geschwindigkeit zu bedienen. In den beiden typischen mexikanischen Staaten Guerrero und Chiappas bewegten sich im Jahre 1970 weniger als ein Prozent der Bevölkerung auch nur ein einziges Mal in weniger als einer Stunde weiter als 15 Kilometer. Die Fahrzeuge, in denen die Bewohner dieser Gegenden mitunter eingepfercht sind, machen das Reisen tatsächlich etwas bequemer, doch kaum schneller als mit dem Fahrrad. Der Bus dritter Klasse trennt den Bauern nicht von seinem Schwein, und er bringt sie beide ohne Gewichtsverlust auf den Markt; doch dieser Kontakt mit dem motorisierten «Komfort» führt noch nicht zur Abhängigkeit von einer destruktiven Geschwindigkeit. Die Diskussion einer schon jetzt nötigen Geschwindigkeitsschranke, um den Fortschritt im Dienst der Mehrheit zu halten, ist hier fast ebenso schwierig, wie an einer technischen Hochschule.

Die Größenordnung, in der die kritische Geschwindigkeitsgrenze zu finden wäre, ist zu niedrig, um vom Gewohnheitspassagier ernst genommen zu werden, und zu hoch, um für den Bauern von Belang zu sein. Sie ist so offenbar, daß sie nicht leicht wahrgenommen werden kann. Verkehrsforschung heißt weiterhin Dienst an der Beförderungsindustrie. Der Vorschlag einer Geschwindigkeitsbegrenzung in dieser Größenordnung trifft deshalb auf hartnäckigen Widerstand. Er enthüllt die Sucht des industrialisierten Menschen, immer höhere Energiedosen zu konsumieren, während er von denen, die noch nüchtern sind, verlangt, auf etwas zu verzichten, das sie noch nicht gekostet haben.

Der Vorschlag, Gegenforschung im Dienst der Person zu treiben, ist nicht nur ein Skandal, sondern auch eine Bedrohung. Einfachheit bedroht den Experten, der angeblich genau weiß, warum der Pendelzug um 8 Uhr 15 und um 8 Uhr 41 verkehrt, und warum es besser sein mag, einen Treibstoff mit bestimmten Zusätzen zu verwenden. Die Vorstellung, daß ein politischer Prozeß eine sowohl unabdingbare als auch natürliche Größe bestimmen könnte, liegt außerhalb der Wertskala und Begriffswelt des Verbrauchers. Er läßt zu, daß sein Respekt vor Spezialisten, die er nicht einmal kennt, in gedankenlose Unterwerfung umschlägt. Wenn es möglich wäre, für die von Experten auf dem Gebiet des Verkehrs geschaffenen Probleme eine politische Lösung zu finden, dann könnte vielleicht dasselbe Heilmittel auf

Probleme der Ausbildung, der Medizin oder der Urbanisierung angewandt werden. Könnte die Größenordnung der optimalen Verkehrsgeschwindigkeit von Fahrzeugen durch Laien, die aktiv an einem dauernden politischen Prozeß teilnehmen, bestimmt werden, dann würden die Fundamente, auf denen das Gerüst jeder Industriegesellschaft ruht, erschüttert. Eine solche Forschung vorzuschlagen ist politisch subversiv. Sie stellt den umfassenden Konsensus in Frage, der es den heutigen politischen Widersachern erlaubt, sich als glaubwürdige Antagonisten auszugeben.

Grade der Mobilität («Narrenlob» des Fahrrads)

Vor einem Jahrhundert wurde das Kugellager erfunden. Es verringerte den Reibungskoeffizienten um das Tausendfache. Durch das Anbringen eines gut geeichten Kugellagers zwischen zwei neolithischen Mühlsteinen kann ein Inder heute an einem Tag so viel Korn mahlen wie seine Vorfahren in einer Woche. Das Kugellager ermöglichte das Fahrrad. Das «Rad», der Rollkörper – wohl die letzte der großen neolithischen Erfindungen – wurde schließlich nutzbar für die aus eigener Kraft getriebene Mobilität. Das Kugellager ist hier Symbol für einen endgültigen Bruch mit der Tradition und für die entgegengesetzten Richtungen, in die Entwicklung führen kann. Ohne Geräte kommt der Mensch recht gut zurecht. Er befördert ein Kilogramm seines Gewichts in zehn Minuten einen Kilometer weit und verausgabt dabei 0,75 Kalorien. Der zu Fuß gehende Mensch ist thermodynamisch leistungsfähiger als jedes Motorfahrzeug und die meisten Tiere. Im Verhältnis zu seinem Gewicht leistet er mehr Bewegungsarbeit als die Ratte oder der Ochse und weniger als das Pferd oder der Stör. Mit diesem Maß an Leistung besiedelte der Mensch die Erde und machte seine Geschichte: In diesem Maß verbringen bäuerliche Gesellschaften weniger als 5, und Nomaden weniger als 8 Prozent ihres jeweiligen gesellschaftlichen Zeithaushalts im Verkehr außerhalb des Hauses oder Lagers.

Auf dem Fahrrad kann der Mensch sich drei- bis viermal schneller fortbewegen als der Fußgänger, doch er verbraucht dabei fünfmal weniger Energie. Auf flacher Straße bewegt er ein Gramm seines Gewichts einen Kilometer weit unter Verausgabung von nur 0,15 Kalorien. Das Fahrrad ist der perfekte Apparat, der die metabolische Energie des Menschen befähigt, den Bewegungswiderstand zu überwinden. Mit diesem Gerät ausgestattet, übertrifft der Mensch nicht nur die Leistung aller Maschinen, sondern auch die aller Tiere.

Die Erfindung des Kugellagers, des Tangentenspeichenrads und des pneumatischen Reifens zusammen können nur mit drei anderen Ereignissen in der Geschichte des Transports verglichen werden: Die Erfindung des Rads beim Anbruch der Zivilisation nahm die Last von den Schultern des Menschen und lud sie auf den Schubkarren. Im europäischen Mittelalter steigerte die Erfindung und gleichzeitige Anwendung der Trense, des Schultergeschirrs und des Hufeisens die thermodynamische Leistung des Pferdes um das bis zu Fünffache und veränderte die Ökonomie des mittelalterlichen Europa. Sie ermöglichte ein häufiges Pflügen und eröffnete damit die rotierende Fruchtfolge. Sie versetzte weiter entfernte Felder in die Reichweite des Bauern, und erlaubte damit der Landbevölkerung, aus Weilern mit sechs Familien in 100-Familien-Dörfern zu ziehen, in den Umkreis der Kirche, des Marktplatzes, des Gefängnisses und später der Schule. Sie ermöglichte die Kultivierung im Norden gelegener Böden und verlagerte das Zentrum der Macht in die kalten Klimazonen. Und schließlich schuf der Bau der ersten hochseetüchtigen Frachtschiffe durch die Portugiesen im 15. Jahrhundert unter der Ägide des sich entfaltenden europäischen Kapitalismus die Grundlagen einer weltumspannenden Marktwirtschaft und den modernen Imperialismus.

Die Erfindung des Kugellagers läutete eine vierte Revolution ein. Es ermöglichte die Wahl zwischen mehr Freiheit und Gerechtigkeit einerseits und höherer Geschwindigkeit und Ausbeutung andererseits. Das Kugellager ist ein gleich wichtiger, fundamentaler Bestandteil der zwei Formen der Fortbewegung, die durch das Fahrrad bzw. das Auto symbolisiert werden. Das Fahrrad erhob die autogene Mobilität des Menschen in eine neue Ordnung, jenseits derer ein Fortschritt theoretisch kaum noch möglich ist. Im Gegenteil, die sich beschleunigende individuelle Fahrgastzelle befähigte die Gesellschaften, ein Ritual der zunehmend paralysierenden Geschwindigkeit zu befolgen.

Das Monopol der rituellen Anwendung eines potentiell nützlichen Geräts ist keine neue Erscheinung. Vor Jahrtausenden nahm das Rad dem Trägersklaven seine Last ab, doch dies geschah nur auf der eurasischen Landmasse. In Mexiko war das Rad wohlbekannt, doch wurde es nie zum Transport verwendet. Es diente ausschließlich zur Herstellung von Wägelchen für Spielzeug-Idole. Die Tabuisierung des Räderkarrens in Amerika vor Cortés ist nicht weniger erstaunlich als die Tabuisierung des Fahrrads im modernen Verkehr.

Es ist keineswegs notwendig, daß die Erfindung des Kugellagers weiterhin der Steigerung des Energieverbrauchs dient und damit Zeitmangel, Raumvergeudung und Klassenprivilegien schafft. Würde die neue Ordnung der auf eigener Kraft beruhenden Mobilität, die das Fahrrad bietet, vor Abwertung und Paralysierung sowie gegen das Risiko für Leib und Leben des Fahrers geschützt, dann wäre es möglich, allen eine optimale gemeinsame Mobilität zu garantieren und das Diktat der maximalen Privilegierung und Ausbeutung zu beenden. Es wäre möglich, die Formen der Urbanisierung zu kontrollieren, wenn nur die Strukturierung des Raums in Übereinstimmung mit der Fähigkeit des Menschen, sich in ihm zu bewegen, erfolgte. Absolute Geschwindigkeitsbegrenzung ist wohl die durchschlagendste Form der Raumplanung und Raumordnung. Das Kugellager ist ambivalent zu seiner Verwendung in eitel oder in würdig angewandter Technik.

Fahrräder sind nicht nur thermodynamisch effizient, sie sind auch billig. Der Chinese mit seinem viel geringeren Lohn erwirbt sein langlebiges Fahrrad in einem Bruchteil der Arbeitszeit, die der Amerikaner für den Kauf seines schnell veralteten Autos aufwendet. Die Ersparnis, die sich aus einem Vergleich der Kosten für die zur Ermöglichung des Fahrradverkehrs notwendigen öffentlichen Einrichtungen mit dem Preis für eine auf hohe Geschwindigkeiten abgestimmte Infrastruktur ergibt, ist noch größer als der Preisunterschied zwischen den bei beiden Systemen verwendeten Fahrzeugen. Beim Fahrradsystem sind befestigte Straßen nur an bestimmten Punkten mit dichtem Verkehr vonnöten, und Menschen, die von Wegen mit festem Belag weiter entfernt wohnen, sind damit nicht automatisch isoliert, wie sie es wären, wenn sie von Autos oder Zügen abhängig sind. Das Fahrrad hat den Radius des Menschen erweitert, ohne ihn auf

Straßen zu verbannen, auf denen er nicht laufen darf. Normalerweise kann er das Fahrrad dort schieben, wo er nicht fahren kann.

Das Fahrrad benötigt auch wenig Raum. Achtzehn Fahrräder können auf der Fläche geparkt werden, die ein Auto beansprucht, dreißig Räder können auf dem Raum fahren, den ein einziges Automobil braucht. Es werden zwei Fahrspuren einer gegebenen Breite benötigt, um 40 000 Menschen mit modernen Zügen innerhalb einer Stunde über eine Brücke zu befördern, vier um sie in Bussen zu fahren, zwölf um sie in Pkw zu befördern und wieder nur zwei, um auf Fahrrädern hinüberzuradeln. Unter all diesen Fahrzeugen erlaubt nur das Fahrrad dem Menschen wirklich, von Tür zu Tür zu fahren, wann immer, und über den Weg, den er wählt. Der Radfahrer kann neue Ziele seiner Wahl erreichen, ohne daß sein Gefährt einen Raum zerstört, der besser dem Leben dienen könnte.

Fahrräder ermöglichen es dem Menschen, sich schneller fortzubewegen, ohne nennenswerte Mengen von knappem Raum, knapper Energie oder knapper Zeit zu beanspruchen. Er benötigt weniger Stunden pro Kilometer und reist doch mehr Kilometer im Jahr. Er kann den Nutzen technologischer Errungenschaften genießen, ohne die Pläne, die Energie oder den Raum anderer übermäßig zu beanspruchen. Er wird Herr seiner Bewegung, ohne die seiner Mitmenschen wesentlich zu beeinträchtigen. Sein neues Werkzeug schafft nur solche Bedürfnisse, die es auch befriedigen kann. Jede Steigerung der motorisierten Beschleunigung schafft neue Ansprüche an Raum und Zeit. Die Verwendung des Fahrrads beschränkt sich von selbst.

Kugellager und Pneu erlauben den Menschen, ein neues Verhältnis zwischen ihrem Lebensraum und ihrer Lebenszeit, zwischen ihrem Territorium und dem Rhythmus ihres Seins zu schaffen, ohne Raumzeit und biologisches Tempo voneinander zu reißen. Diese Vorteile des modernen, von eigener Kraft angetriebenen Verkehrs sind offensichtlich – aber sie werden weitgehend ignoriert. Das Kugellager steht immer mehr ausschließlich im Dienst der Maschine. Daß ein besserer Verkehr immer schneller rollt, wird zwar oft behauptet, jedoch nie bewiesen. Ein Grund hierfür ist wohl, daß die Beweisführung klar aufzeigen würde, für wie wenige heute schneller Verkehr besser ist. Das

Gegenteil kann leicht bewiesen werden, wird heute noch zögernd hingenommen und wird wohl sehr bald offensichtlich sein.

Ein grausamer Wettkampf zwischen Fahrrad und Motor ging soeben zu Ende. In Vietnam versuchte eine hyperindustrialisierte Armee ein auf Grund der Fahrradgeschwindigkeit organisiertes Volk zu unterwerfen – doch sie konnte es nicht besiegen. Dies ist eine deutliche Lektion. Armeen mit großem Energiepotential können Menschen auslöschen – sowohl diejenigen, die sie verteidigen, als auch diejenigen, gegen die sie eingesetzt werden –, doch sie sind von sehr beschränktem Nutzen für ein Volk, das sich selbst verteidigt. Das vietnamesische Volk hätte schon lange verloren, hätte seine Armee sich befördern lassen. Es bleibt abzuwarten, ob die Vietnamesen das, was sie im Krieg taten, auf eine Friedenswirtschaft anwenden werden, ob sie bereit sein werden, die Werte zu bewahren, die ihren Sieg ermöglichten. Es besteht wohl die düstere Aussicht, daß die Sieger, im Namen des industriellen Fortschritts und des gesteigerten Energieverbrauchs, sich selbst eine Niederlage beibringen werden, indem sie jene Schranken der Gerechtigkeit, Rationalität und Autonomie brechen, welche die amerikanischen Bomber ihnen aufzwangen, als sie ihnen Treibstoffe, Motoren und Straßen raubten.

Der Motor als Beherrscher und als Gehilfe

Die Menschen werden mit beinah gleicher Mobilität geboren. Ihre natürliche Befähigung spricht für die individuelle Freiheit eines jeden, zu gehen, wohin immer er oder sie will. Die Bürger einer auf den Begriff der Freiheit, Gerechtigkeit und Brüderlichkeit gegründeten Gesellschaft werden den Schutz dieses Rechts gegen jegliche Beschneidung fordern. Für sie sollte es gleichgültig sein, durch welche Mittel die Ausübung der individuellen Bewegungsfreiheit verwehrt wird – sei es Gefängnishaft, Bindung an einen Grundherrn, Einziehung des Reisepasses oder die Fesselung an eine Umwelt, die die angeborene Fähigkeit des einzelnen zur Fortbewegung beeinträchtigt, um ihn zum Konsumenten des Transports zu machen. Dieses unveräußerliche Recht der Bewegungsfreiheit, Bewegungsgleichheit und Bewegungsfreude geht nicht einfach dadurch verloren, daß die meisten Zeitgenossen sich in ideologische Sicherheitsgurte geschnallt haben. Die natürliche Fähigkeit des Menschen zur Fortbewegung erscheint als der einzige Maßstab, an dem der Beitrag der Transportmittel zum Verkehr zu bewerten ist: Es gibt nur so viel Transport, wie der Verkehr verträgt. Es bleibt zu zeigen, wie wir solche Formen des Transports, die die Bewegungsfähigkeit verkrüppeln, von jenen unterscheiden können, die sie vermehren.

Der Transport kann den Verkehr auf dreierlei Weise beeinträchtigen: durch die Unterbrechung des Verkehrsflusses, durch die Schaffung von isolierten Bestimmungswelten und durch die Vermehrung der verkehrsbedingten Zeitverluste. Ich habe bereits festgestellt, daß der Schlüssel zum Verhältnis zwischen Transport und Verkehr in der Höchstgeschwindigkeit der Fahrzeuge liegt. Ich habe nachgewiesen, wie der Transport jenseits einer bestimmten Geschwindigkeitsschwelle den Verkehr behindert. Er blockiert die Mobilität, indem er die Umwelt mit Fahrzeugen und Straßen vollstopft. Er verwandelt die Geographie in eine Pyramide von Verkehrskreisen, die je nach Beschleunigungsstufe hermetisch voneinander abgeschlossen sind. Im Dienst der Geschwindigkeit raubt er Lebenszeit.

Wenn der Transport jenseits einer gewissen Schwelle den Verkehr beeinträchtigt, so gilt auch das Gegenteil: Unterhalb einer bestimmten Geschwindigkeitsstufe können Motorfahrzeuge den täglichen Pendelverkehr ergänzen oder verbessern, indem sie es den Menschen ermöglichen, Dinge zu tun, die sie zu Fuß oder auf dem Fahrrad nicht oder nur mühsam vollbringen könnten. Motorfahrzeuge können Verwendung finden, um die Lahmen, die Kranken, die Alten oder die einfach Müden zu befördern. Motorlifte und Rampen können Menschen und ihre Räder auf einen Berg schleppen. Züge können dem täglichen Kreislauf dienen, aber nur dann, wenn sie nicht letztlich Bedürfnisse schaffen, die sie nicht sättigen können; und diese Gefahr besteht, sobald Transporte auf dem Arbeitsweg Fahrräder überholen.

Noch einleuchtender ist wohl der Dienst des Fahrzeugs für den Passagier, der nicht auf dem täglichen Arbeitsweg, sondern auf Reisen ist. Bis zur Zeit der Dampfmaschine war der Reisende froh, zu Schiff, mit dem Pferd oder in der Kutsche fünfzig Kilometer am Tag hinter sich zu bringen – zwei Kilometer pro peinlicher Reisestunde. Das englische Wort *travel* erinnert noch daran, wie schmerzvoll Reisen waren: es kommt vom «trepalium», dem dreizackigen Pfahl, der Tötung am Kreuz im frühen Mittelalter als Marterwerkzeug ersetzte. Man vergißt heute leicht, daß 25 Stundenkilometer im gefederten Waggon einen bis vor kurzem undenkbaren «Fortschritt» bedeuten.

Ein modernes Transportsystem mit dieser Beförderungsgeschwindigkeit hätte es Inspektor Fix ermöglicht, Phileas Fogg in weniger als der Hälfte von achtzig Tagen um die Welt zu jagen. Reisen innerhalb dieser Grenzen geht auf die Zeitkosten des Fahrgastes: Es ist arbeitsintensiv in der Produktion und zeitfüllend für den Passagier.

Eine Beschränkung der Energie und damit der Geschwindigkeit der Motoren allein sichert noch nicht die Schwächeren gegen die Ausbeutung durch die «Reichen und Mächtigen», die immer noch Mittel und Wege finden können, um an günstiger gelegenen Orten zu leben und zu arbeiten, regelmäßig in plüschgepolsterten Wagen zu reisen und eine besondere Fahrspur für Ärzte und Mitglieder des Zentralkomitees zu reservieren. Aber bei einer hinlänglich beschränkten Maximalgeschwindigkeit sind dies Ungerechtigkeiten, die sich durch eine Kombination von Steuern und technischen Hilfsmitteln verringern oder sogar ausgleichen lassen. Bei unbeschränkten Spitzengeschwindigkeiten können weder das öffentliche Eigentum der Transportmittel noch technische Verbesserungen ihrer Kontrolle je die zunehmende, ungleiche Ausbeutung beseitigen. Eine Transportindustrie ist der Schlüssel zur optimalen Produktion von Verkehr, doch nur, wenn sie nicht ein radikales Monopol über die individuelle Produktivität ausübt.

Unterentwicklung, Überentwicklung und technologische Reife

Die Kombination von Transport und Transit, die den Verkehr konstituiert, bot uns ein Beispiel für einen gesellschaftlich optimalen Energieverbrauch pro Kopf und für die Notwendigkeit, diesem politisch definierte Schranken aufzuerlegen. Der Verkehr ist auch ein Modell für die Konvergenz weltweit gültiger Entwicklungsziele und ein Kriterium, an Hand dessen sich die Länder, die bedrückend untertechnisiert sind, von denen unterscheiden lassen, die zerstörerisch überindustrialisiert sind.

Ein Land muß dann als untertechnisiert bezeichnet werden, wenn es nicht in der Lage ist, jedem Bürger das für ihn geeignete «Fahrrad» zur Verfügung zu stellen. Es ist untertechnisiert, wenn es nicht gute «Fahrradstraßen» bereitstellen kann und karg bemessene, kostenlos verwendbare Hilfsmotoren. Es gibt keinen technischen, ökonomischen oder ökologischen Grund, warum wir uns im Jahre 1975 irgendwo auf der Welt mit einer solchen Rückständigkeit abfinden sollten. Es wäre eine Schande, wenn die natürliche Beweglichkeit der Menschen gegen ihren Willen auf einer niedrigeren Stufe als der optimalen stagnieren müßte.

Ein Land ist als überindustrialisiert zu bezeichnen, wenn sein gesellschaftliches Leben von einer Transportindustrie beherrscht wird, welche die Macht besitzt, Klassenprivilegien zu statuieren, den Zeitmangel zu akzentuieren und die Menschen straff an Fahrbahnen und Fahrpläne zu fesseln. Untertechnisierung und Überindustrialisierung scheinen heute die beiden Pole möglicher Entwicklung zu sein. Aber jenseits ihres Spannungsfelds liegt doch noch die Welt reifer Technik, der Raum postindustrieller Effektivität, in der die karge Bemessung der Technik die würgend knappe Warenzuteilung überwindet, die das notwendige Resultat technischer Hybris ist. Reife Technik setzt dem Motor die Grenzen, außerhalb derer er zum Herrn wird; reife Ökonomie setzt industrieller Produktion jene Schranken, innerhalb derer sie die autonomen Formen der Produktion stärkt und ergänzt. Auf den Verkehr übertragen ist das die «Welt des Fahrrads» und der langen Reise, der anarchischen, aber modernen Effizienz, der offenen Welt und der freien Begegnung.

Untertechnisierung ist für den heutigen Menschen ein Grund, sich machtlos den Gewalten von Natur und Gesellschaft ausgeliefert zu fühlen. Überindustrialisierung nimmt dem Menschen die Macht, wirkliche Entscheidungen zu treffen über alternative Arten der Produktion, der Politik und des Lebens. Überindustrialisierung diktiert den sozialen Beziehungen ihre technischen Merkmale. Die Welt der technologischen Reife läßt eine Vielzahl von politischen Alternativen und Kulturen zu. Diese Vielfalt schwindet selbstverständlich, sobald die Gesellschaft der Industrie ein Wachstum auf Kosten der autonomen Produktion von Nutzwerten gestattet.

Wie schon gesagt, kann die Theorie allein keinen exakten Maßstab für das Niveau der einer konkreten Gesellschaft angemessenen postindustriellen Effektivität und technischen Reife bieten. Sie kann beiläufig die Dimensionen des Bereichs angeben, dem diese technischen Merkmale sich einfügen müssen. Es muß einer ihre eigene Politik betreibenden historischen Gesellschaft überlassen bleiben zu entscheiden, wann die Programmierung, die Zerstörung des Raums, die Zeitknappheit und die Ungerechtigkeit nicht mehr dafürstehen. Die Theorie kann die Geschwindigkeit als kritischen Faktor des Verkehrs bestimmen. Sie kann die Notwendigkeit für karg bemessene Technik beweisen. Sie kann nicht politisch durchführbare Schranken festsetzen. Das Kugellager fordert entweder ein neues politisches Bewußtsein, das die Werkzeuge der Gesellschaft in Maßen hält, oder es beschwört techno-faschistische Diktatur herauf.

Es gibt zwei Wege zur Erreichung der technologischen Reife: der eine ist die Befreiung vom Überfluß; der andere die Befreiung vom Wunschtraum des Fortschritts. Beide Wege führen zu demselben Ziel: der sozialen Rekonstruktion des Raums, die jedem einzelnen die immer wieder neue Erfahrung vermittelt, daß dort, wo er steht, geht und lebt, der Mittelpunkt der Welt ist.

Die Befreiung vom Überfluß muß auf den Verkehrsinseln der Großstädte beginnen, wo die «Überentwickelten» übereinander stolpern. Die Reichen lassen sich von hier aus mit hoher Geschwindigkeit von einem solchen Treffpunkt zum anderen katapultieren und leben in der Gesellschaft von Mitreisenden, von denen jeder woandershin unterwegs ist. Die Armen im reichen Land werden unentwegt innerhalb der eigenen Stadt verschifft und verfrachtet auf Kosten ihrer Muße und Geselligkeit. Der Neger und der Manager, der Fabrikarbeiter und der Kommissar werden so durch Beförderungsverbrauch vereinsamt. Diese Einsamkeit des Überflusses, an der arm und reich leiden, kann sich nur lösen, wenn die Verkehrsinseln innerhalb der Großstadt sich allmählich ausdehnen, und wenn transportmittelfreie Zonen den Menschen helfen, ihre angeborene Macht über den Raum wiederzuentdecken. So können in der ausgelaugten Umwelt der Industriestädte Anfänge der sozialen Rekonstruktion enthalten sein, und jene, die sich heute reich nennen, werden die Fessel des übereffizienten Transports an dem Tag zerbrechen, an dem sie den nunmehr voll erblühten Horizont ihrer Verkehrsinsel schätzen und häufige Verfrachtungen in die Fremde fürchten lernen.

Die Befreiung vom Wunschtraum der Bereicherung setzt am anderen Ende ein. Sie durchbricht die Beengtheit von Dorf und Tal und führt aus der Langeweile enger Horizonte und der lähmenden Bedrücktheit einer in sich abgeschlossenen Welt hinaus. Die Erweiterung des Lebens über den Umkreis der Tradition ist ein Ziel, das jedes arme Land binnen weniger Jahre erreichen könnte, doch dieses Ziel wird nur von denen erreicht werden, die das im Namen einer Ideologie des unbegrenzten Energiekonsums ergangene Angebot einer unkontrollierten industriellen Entwicklung ausschlagen.

Die Befreiung vom radikalen Monopol der Industrie und die frohe Wahl einer kargen Technologie ist nur dort möglich, wo die Menschen an einem politischen Prozeß teilnehmen, der auf der Gewährleistung eines optimalen Verkehrs beruht. Diese wiederum verlangt die Anerkennung von sozialkritischen Energiequanten, auf deren Vernachlässigung die Industriegesellschaft fußt. Diese Energiemengen reichen aus, um diejenigen, die gerade so viel, aber nicht mehr verbrauchen, in ein technologisch reifes postindustrielles Zeitalter zu bringen.

Diese für die Armen so billige Befreiung wird die Reichen teuer zu stehen kommen, aber sie werden diesen Preis jedenfalls entrichten müssen, wenn die Beschleunigung der Transportsysteme den Verkehr zusammenbrechen läßt. Eine konkrete Analyse des Verkehrs enthüllt also die der Energiekrise zugrunde liegende Wahrheit: Die Auswirkung industriell verpackter Energiequanten tendiert zu Zerstörung, Erschöpfung und Versklavung, und diese Folgen werden noch schneller eintreten als die Gefahren der physischen Umweltvernichtung und der Ausrottung der menschlichen Gattung. Wenn «Beschleunigung» erst einmal entzaubert wäre, dann stünde die Entscheidung offen, gemeinsam im Süden und im Norden, auf dem Land und in der Stadt, in Ost und West modernem Werkzeug jene Grenzen zu setzen, innerhalb deren es zur Befreiung beitragen kann.

III
Wider
die Verschulung

Seit Generationen bemühen wir uns, die Welt besser einzurichten, indem wir immer mehr Schulung anbieten, aber dieses Streben ist bislang gescheitert. Wir mußten vielmehr erfahren, daß wir keineswegs für mehr Gleichheit sorgen, wenn wir alle Kinder zwingen, eine nach oben offene Bildungsleiter hinaufzuklettern, sondern daß dies lediglich denjenigen begünstigt, der früher, gesünder oder besser vorbereitet an den Start geht; daß der Zwangsunterricht bei den meisten Menschen den Willen zu unabhängigem Lernen abtötet; und daß Wissen, wenn es als Ware gehandelt, konsumfertig abgepackt und – einmal erworben – als Privatbesitz betrachtet wird, immer ein knappes Gut bleiben muß.

Plötzlich erkennen wir, daß das Ziel der öffentlichen Erziehung durch die Pflichtschule seine soziale, pädagogische und ökonomische Berechtigung verloren hat. Die Kritiker des Bildungssystems reagieren auf diese Situation mit dem Vorschlag, unorthodoxe Heilmittel einzusetzen: vom Gutscheinplan, der es jedem ermöglichen würde, Bildung nach eigener Wahl auf dem offenen Markt zu kaufen, über die Verlagerung des Bildungsauftrags von der Schule auf die öffentlichen Medien, bis hin zur praktischen Lehre am Arbeitsplatz. Einige sehen bereits voraus, daß der Schulzwang abgebaut werden muß, ähnlich wie die Kirche seit zwei Jahrhunderten überall auf der Welt säkularisiert wurde. Andere Reformer schlagen vor, die allgemeine Schulpflicht durch neue Systeme zu ersetzen, die, so behaupten sie, jedermann besser auf das Leben in der modernen Gesellschaft vorbereiten würden. Diese Vorschläge für neue Bildungsinstitutionen lassen sich in drei große Gruppen aufteilen: die Reform der Schulklasse innerhalb des bestehenden Schulsystems; die Einführung freier Schulklassen in allen Bereichen der Gesellschaft; und die Verwandlung der ganzen Gesellschaft in eine einzige große Schulklasse. Doch alle drei Ansätze – die reformierte Schulklasse, die freie Schulklasse und die weltweite Schulklasse – sind nur Stufen einer angestrebten Bildungseskalation, bei der jeder neue Schritt eine noch subtilere, noch umfassendere Kontrolle zu bringen droht als der überwundene.

Ich glaube, daß die Säkularisation der Schule unvermeidlich geworden ist und daß dieses Ende einer Illusion uns mit Hoffnung erfüllen sollte. Aber ich glaube auch, daß das Ende des Verschulungszeitalters die Epoche einer Globalschule einleiten könnte, die sich nur dem Namen nach von einem globalen Irrenhaus oder einem globalen Gefängnis unterschiede und in der Erziehung identisch wäre mit Besserungstherapie und Anpassung. Ich glaube daher, daß der Niedergang der Schule uns zwingt, über ihr bevorstehendes Ende hinauszublicken und fundamentale Alternativen der Erziehung ins Auge zu fassen. Entweder wir ersinnen furchtbare neue Erziehungsmittel, die auf eine dem Menschen immer unzugänglicher und feindlicher werdende Welt vorbereiten, oder wir schaffen die Voraussetzungen für eine neue Zeit, in der die Technologie dazu dienen könnte, die Gesellschaft einfacher und transparenter zu machen, so daß alle Menschen wieder die Tatsachen kennen und die Werkzeuge gebrauchen könnten, die ihr Leben gestalten. Kurz, wir können den Schulzwang politisch eingrenzen und abbauen oder wir können die Kultur entschulen.

Der heimliche Lehrplan der Schule

Um die vor uns liegenden Alternativen klarer zu erkennen, müssen wir erst einmal zwischen Lernen und Schulung unterscheiden, und das heißt, das humanistische Ziel des Lehrers von den Auswirkungen der unwandelbaren Struktur der Schule trennen. Diese verborgene Struktur konstituiert eine Unterrichtspraxis, die sich stets der Kontrolle des Lehrers oder seiner Schulbehörde entzieht. Sie vermittelt die unaustilgbare Botschaft, daß der

114

einzelne nur durch Schulung sich auf das Leben als Erwachsener in der Gesellschaft vorbereiten könne, daß das, was in der Schule nicht gelehrt wird, völlig wertlos sei und daß das, was außerhalb der Schule zu lernen ist, nicht wissenswert sei. Ich nenne dies den heimlichen Lehrplan der Schule, denn er begründet den unveränderlichen Rahmen des Systems, der von allen etwaigen Veränderungen der Lehrpläne unberührt bleibt.

Der heimliche Lehrplan ist stets der gleiche – wo und in welcher Schule auch immer. Er verlangt, daß alle Kinder eines bestimmten Alters sich in Gruppen von etwa dreißig für 500, 1000 oder mehr Stunden pro Jahr unter der Autorität eines lizensierten Lehrers versammeln. Es ist gleichgültig, ob der Lehrplan darauf abzielt, die Prinzipien des Faschismus, des Liberalismus, des Katholizismus, des Sozialismus oder der Emanzipation zu lehren, solange nur die Institution die Vollmacht beansprucht zu definieren, welche Aktivitäten legitime «Erziehung» sind. Es ist gleichgültig, ob die Schule bezweckt, sowjetische oder amerikanische Staatsbürger, Handwerker oder Ärzte hervorzubringen, solange man nur als Schulabsolvent ein legitimer Staatsbürger, Handwerker oder Arzt sein kann. Es kommt nicht darauf an, ob die Versammlung der Schüler stets am gleichen Ort stattfindet, solange sie nur als Unterricht verstanden wird: Korbflechten ist für Korbflechter Arbeit, für Häftlinge Besserungstherapie und für Schüler Bestandteil des Lehrplans.

Worauf es beim heimlichen Lehrplan ankommt, das ist die Erfahrung der Schüler, daß Bildung nur dann wertvoll ist, wenn sie in der Schule durch einen stufenweisen Konsumtionsprozeß erworben wird; daß der Erfolg, den der einzelne später in der Gesellschaft hat, von der Menge des Wissens abhängig ist, die er konsumiert; und daß das Lernen *über* die Welt wertvoller ist als das Lernen *durch* die Welt. Die Durchsetzung *dieses* heimlichen Lehrplans innerhalb eines Bildungsplans ist es, was die Verschulung von anderen Formen geplanter Erziehung unterscheidet. Alle Schulsysteme der Welt gleichen sich hinsichtlich ihrer institutionellen Outputs, und diese wiederum sind Resultat des gemeinsamen heimlichen Lehrplans aller Schulen.

Wir müssen nun klar sehen, daß der heimliche Lehrplan der Schule das Lernen aus einer Aktivität in eine Ware verwandelt, deren Markt die Schule monopolisiert. Der Name, mit dem wir diese Ware heute bezeichnen, ist «Erziehung», ein quantifizierbarer, kumulativer Output einer professionell geplanten Institution, genannt Schule, dessen Wert sich an der Dauer und Kostspieligkeit jenes Prozesses (eben des heimlichen Lehrplans) bemißt, dem der Schüler unterworfen wird. Der Absolvent des städtischen Colleges um die Ecke und der Elitestudent mögen beide in vier Jahren 135 Pluspunkte [nach amerikanischem System; d. Ü.] sammeln, aber sie wissen beide genau um den unterschiedlichen Wert ihres Wissenskapitals.

In allen «verschulten» Nationen gilt Wissen als erste Voraussetzung fürs Überleben, zugleich aber auch als eine Währung, die konvertibler ist als Rubel oder Dollar. Seit Karl Marx sprechen wir von der Entfremdung des Arbeiters von seiner Arbeit in der Klassengesellschaft. Jetzt aber müssen wir die Entfremdung des Menschen von seinem Lernen erkennen, sobald dieses zum Produkt eines Dienstleistungsgewerbes und er selbst zum Konsumenten wird.

Je mehr Erziehung der einzelne konsumiert, desto mehr «Wissenskapital» erwirbt er und desto höher steigt er in der Hierarchie der Wissenskapitalisten. So definiert die Erziehung eine neue Klassenstruktur der Gesellschaft, innerhalb derer die Großkonsumenten an Wissen – nämlich jene, die große Beträge an Wissenskapital erworben haben – den Anspruch erheben, von höherem Wert für die Gesellschaft zu sein. Sie sind so was wie mündelsichere Akten im *human capital*-Portefeuille einer Gesellschaft, und ihnen ist der Zugang zu den leistungsfähigeren oder knapperen Produktionsmitteln dieser Gesellschaft vorbehalten.

Der heimliche Lehrplan definiert und bewertet also nicht nur, was Bildung ist, sondern bestimmt auch, auf welches Maß an Produktivität der Bildungskonsument ein Anrecht hat. Er dient als Rechtfertigung für den immer engeren Zusammenhang zwischen Arbeitsplatz und entsprechenden Privilegien: was sich in einigen Gesellschaften in Form von persönlichem Einkommen, in anderen als unmittelbares Recht auf zeitsparende Dienstleistungen, weitere Bildung und Prestige ausdrückt.*

* (Dieser Punkt ist besonders bedeutsam in Anbetracht der mangelnden Entsprechung zwischen Schulung und beruflicher Kompetenz, die

116

Das Bestreben, alle Menschen durch sukzessive Stadien der Aufklärung zu führen, geht letzten Endes auf die Alchemie zurück, die große Kunst des ausgehenden Mittelalters. Johann Amos Comenius, der mährische Bischof, selbstberufene Polihistor und Pädagoge gilt mit Recht als einer der Väter der modernen Schule. Als einer der ersten schlug er die über sieben oder zwölf Klassen führende Pflichtschule vor. In seiner Magna Didactica beschrieb er die Schule als Mittel, um «jedermann ein jegliches» zu lehren, und entwarf einen Plan für die Fließbandproduktion von Wissen, die Bildung nach seiner Methode verbilligen und verbessern und eine Entfaltung aller zu voller Menschlichkeit ermöglichen sollte. Aber Comenius war nicht nur ein früher Verfechter der Effizienz. Er war auch Alchemist, der die technische Sprache seiner Zunft übernahm, um die Kunst der Kindererziehung zu beschreiben.

Die Alchemisten versuchten die Grundelemente zu verfeinern, indem sie deren Essenzen herausdestillierten und über zwölf sukzessive Stufen der Erleuchtung führten, auf daß sie zum eigenen und aller Welt Nutzen in Gold verwandelt würden. Natürlich scheiterten die Alchemisten, wie oft sie es auch versuchten, aber jedesmal fand ihre «Wissenschaft» neue Gründe für dieses Scheitern, und sie versuchten es abermals.

Die Pädagogik leitete ein neues Kapitel in der Geschichte der Ars Magna ein. Erziehung war jetzt die Suche nach einem alchemistischen Verfahren, das einen neuen Menschentyp hervorbringen sollte, der sich besser einem durch wissenschaftliche Magie geschaffenen Milieu einfügen würde. Gleichgültig aber, wieviel jede Generation für ihre Schulen aufwendete – es zeigte sich immer, daß die meisten Menschen für Aufklärung nach diesem Verfahren unbrauchbar und für das Leben in einer von Menschen gemachten Welt ungeeignet waren.

Die Bildungsreformer, die der Idee beipflichten, daß die Schule gescheitert ist, lassen sich in drei Gruppen unterteilen. Die respektabelsten sind natürlich die Großmeister der Alchemie, die uns bessere Schulen versprechen. Die verführerischsten sind die Volksmagier, die uns versprechen, aus jeder Küche ein alchemi-

Studien wie etwa Ivar Bergs ‹Education and Jobs: The Great Training Robbery› festgestellt haben.

stisches Labor zu machen. Die unheimlichsten sind die neuen Baumeister des Universums, die die ganze Welt zu einem gewaltigen Wissenstempel umbauen wollen.

An der Spitze der heutigen Meister der Alchemie stehen die von den großen Stiftungen engagierten oder finanzierten Forschungsstrategen, die glauben, daß eine nur irgendwie verbesserte Schule auch ökonomisch tragbarer wäre als die heutige mit ihren Schwierigkeiten und gleichzeitig ein größeres Paket an Dienstleistungen ausstoßen könnte. Die Curriculumforscher behaupten, die Lehrfächer der Schule seien überholt oder irrelevant. Also wird der Lehrplan mit flott verpackten Kursen über afrikanische Kultur, US-Imperialismus, Womens' Lib, Umweltprobleme oder Konsumgesellschaft aufgestockt. Passives Lernen sei falsch – und das ist es ja wirklich –, also erlaubt man den Studenten gnädig, selbst zu entscheiden, worüber und wie sie belehrt werden wollen. Schulen seien Gefängnisse, heißt es, also ermächtigt man die Rektoren zu Lehrexkursionen, und die Schulpulte werden auf eine gesperrte Straße in Harlem gestellt. Sensibilität sei heute Trumpf, also wird die Gruppentherapie ins Klassenzimmer geholt. Die Schule, die einst jedermann ein jegliches lehren sollte, wird heute zum bunten Allerlei für alle braven Kinder.

Manche Kritiker werfen der Schule vor, sie mache unzulänglichen Gebrauch von der modernen Wissenschaft. Einige wollen Drogen verabreichen, um es dem Lehrer zu erleichtern, das Verhalten der Kinder zu beeinflussen. Andere wollen die Schule in eine Arena für Bildungssportspiele verwandeln. Wieder andere wollen das Klassenzimmer elektrifizieren: falls sie einfältige Schüler McLuhans sind, ersetzen sie Tafel und Fibel durch multimediale Happenings; falls sie Gefolgsleute Skinners sind, meinen sie, das menschliche Verhalten wirksamer manipulieren zu können als die Unterrichtspraktiker alter Schule es konnten.

Die meisten dieser Neuerungen haben natürlich einige gute Effekte. In den experimentellen Schulen gibt es weniger Bummelei. In dezentralisierten Schulbezirken haben die Eltern ein stärkeres Gefühl der Partizipation. Schüler, die neben dem Unterricht eine Handwerkslehre erhalten, sind meist anstelliger und gescheiter als jene, die im Klassenzimmer hocken bleiben. Manche Kinder verbessern tatsächlich ihre Spanischkenntnisse im

Sprachlabor, weil sie mehr Spaß daran finden, an den Knöpfen der Tonbandgeräte rumzuspielen als sich mit gleichaltrigen Puertoricanern auf der Straße zu unterhalten. Doch all diese Verbesserungen sind nur innerhalb vorhersehbar enger Grenzen wirksam, denn sie lassen den heimlichen Lehrplan der Schule unangetastet.

Etliche Reformer würden sich gern vom heimlichen Lehrplan der öffentlichen Schulen befreien, aber es gelingt ihnen selten. Freie Schulen, die zu weiteren, noch freieren Schulen führen, produzieren eine Fata Morgana der Freiheit, auch wenn die Anwesenheit der Schüler oft durch lange Bummelphasen unterbrochen wird. Schulbesuch auf Grund guten Zuredens impft dem Schüler die Notwendigkeit pädagogischer Behandlung nachhaltiger ein als die vom Schulbüttel erzwungene widerwillige Anwesenheit. Nachsichtige, permissive Lehrer in einem wattegepolsterten Klassenzimmer machen die Schüler nach Verlassen der Schule leicht überlebensunfähig.

Das Lernen in solchen Schulen ist dennoch oft nicht mehr als der Erwerb gesellschaftlich anerkannter Fertigkeiten, die in diesem Fall eben durch den Konsensus einer Gemeinschaft statt durch den Erlaß einer Schulbehörde definiert sind. Der neue Seelendiakon ist nur der alte Priester in neuem Gewand.

Damit freie Schulen wahrhaft frei wären, müßten sie zwei Bedingungen erfüllen: erstens müßten sie in der Weise eingerichtet sein, daß die Wiedereinführung des heimlichen Lehrplans, nach dem staatlich lizensierte Schüler in amtlich lizensierten Jahrgangsklassen zu Füßen staatlich lizensierter Lehrer lernen, verhindert würde; und sie müßten – was noch wichtiger ist – einen Rahmen bieten, innerhalb dessen alle Beteiligten, Lehrer wie Schüler, sich von den verborgenen Grundprinzipien einer verschulten Gesellschaft befreien könnten. Die erste Bedingung wird oft unter den Zielen einer freien Schule genannt. Die zweite wird kaum je erkannt und läßt sich schwerlich als Ziel einer freien Schule postulieren.

Es ist nützlich, eine Unterscheidung zu treffen zwischem dem heimlichen Lehrplan, wie ich ihn dargestellt habe, und den okkulten Prämissen der Schulung. Der heimliche Lehrplan ist ein Ritual, das wir als offizielle – institutionell in der Schule etablierte – Initiation in die moderne Gesellschaft auffassen können. Der Zweck dieses Rituals ist es, den Beteiligten die Widersprüche zwischen dem Mythos einer egalitären Gesellschaft und der Klassenrealität, die sie aufweist, zu verbergen. Sobald Rituale als solche erkannt werden, verlieren sie ihre Macht, und genau dies passiert gegenwärtig mit der Schulung. Doch es gibt gewisse Grundannahmen über das Heranwachsen – eben die okkulten Prämissen –, die heute in den Schulungszeremonien Ausdruck finden und die leicht durch das Wirken der freien Schulen noch bestärkt werden könnten.

Auf den ersten Blick erscheint jede Verallgemeinerung über die freien Schulen verfrüht. Besonders in den USA, in Kanada und im Deutschland der frühen siebziger Jahre blühen tausend Blumen eines neuen Frühlings. Über diese Experimente, die den Anspruch von Bildungsinstitutionen erheben, können wir allerdings verallgemeinernde Aussagen machen. Zuvor aber müssen wir noch einige tiefere Einsicht in das Verhältnis zwischen Schulung und Erziehung gewinnen.

Wir vergessen oft, daß das Wort Erziehung erst in neuerer Zeit geprägt wurde. Vor der Reformation war es unbekannt. Kindererziehung wird in französischer Sprache erstmals in einem Dokument aus dem Jahre 1498 erwähnt. Dies war das Jahr, als Erasmus sich in Oxford niederließ, als Savonarola auf dem Scheiterhaufen in Florenz starb und als Dürer seine ‹Apokalypse› stach, die uns so eindringlich die über dem späten Mittelalter hängende Untergangsstimmung vermittelt. In englischer Sprache tritt das Wort erstmals 1530 auf. Dies war das Jahr, als Heinrich VIII. sich von Katharina von Aragon trennte und als Luthers Kirche sich beim Augsburger Reichstag von Rom lossagte. In spanischen Landen verging noch ein Jahrhundert, bevor das Wort und die Idee Erziehung bekannt wurden. Noch 1632 spricht Lope de Vega von Erziehung als einer Neuheit. In diesem Jahr, man erinnere sich, feierte die Universität San Marcos in Lima ihren sechzigsten Jahrestag. Zentren der Gelehrsamkeit gab es, lange bevor der Terminus Erziehung in die Umgangssprache einging. Man «las» die Klassiker oder die Gesetzbücher; man wurde nicht fürs Leben erzogen.

Im frühen 17. Jahrhundert setzte sich die Auffassung durch, daß der Mensch von Geburt unfähig für das Leben in der Gesellschaft sei und daß ihm erst «Erziehung» zuteil werden müsse. Erziehung bedeutete schließlich das Gegenteil von lebendigem Wissen. Sie wurde als Prozeß verstanden, nicht als bloße Kenntnis der Tatsachen und Fähigkeit im Umgang mit den Werkzeugen, die das Leben des konkreten Menschen gestalten. Erziehung wurde schließlich zu einem unfaßbaren Gut, das zum Nutzen aller produziert und ihnen in der gleichen Weise zugeteilt werden mußte, wie einst die sichtbare Kirche den unsichtbaren Segen zuteilte. Rechtfertigung gegenüber der Gesellschaft war jetzt das erste Gebot für den in Ur-Dummheit – analog der Ursünde – geborenen Menschen.

Schulung und Erziehung verhalten sich zueinander wie Kirche und Religion; oder allgemeiner gesagt, wie Ritus und Mythos. Der Ritus schafft und erhält den Mythos. Das Schulungsritual schafft sich seinen eigenen Mythos, und der Mythos erzeugt den Lehrplan, der wiederum die Schulungsriten verewigt. «Erziehung» als Begriff einer allumfassenden Kategorie der sozialen Rechtfertigung ist eine Idee, für die wir (außerhalb der christlichen Theologie) in keiner anderen Kultur ein spezifisches Gegenstück finden, und die Produktion von «Erziehung» im Schulungsprozeß unterscheidet die Schule von anderen Lerninstitutionen, die in anderen Epochen existierten. Diesen Sachverhalt müssen wir verstehen, wenn wir die Mängel der meisten freien, unstrukturierten oder unabhängigen «Schulen» erklären wollen.

Will die freie Schule über eine einfache Reform der Schulklasse hinausgehen, dann muß sie vermeiden, den oben geschilderten heimlichen Lehrplan der Schulung zu übernehmen. Eine ideale freie Schule muß versuchen, Bildung zu vermitteln und gleichzeitig verhindern, daß Erziehung benutzt wird, um eine Klassenstruktur der Gesellschaft zu schaffen oder zu rechtfertigen; sie muß vermeiden, daß sie sich mißbrauchen läßt, den Schüler an einem abstrakten Maßstab zu messen und ihn zu unterdrücken, zu kontrollieren und aufs rechte Maß zurechtzustutzen. Aber solange die freie Schule versucht, «Allgemeinbildung» zu liefern, kann sie nicht über die versteckten Prämissen der Schulung hinausgehen.

Zu diesen Prämissen gehört das von Peter Schrag so genannte «Immigrantensyndrom», das uns veranlaßt, alle Menschen so zu behandeln, als wären sie Neueinwanderer auf der Welt und müßten einen Naturalisierungsprozeß durchlaufen. Nur amtlich lizensierten Wissenskonsumenten wird die Staatsbürgerschaft zuerkannt. Die Menschen sind nicht gleich geboren, sondern werden erst im Räderwerk der Alma mater gleich gemacht.

Eine weitere Prämisse ist, daß der Mensch unreif geboren sei und erst «reifen» müsse, bevor er sich in die zivilisierte Gesellschaft einfügen kann. Gemäß dieser ideologischen Fixierung auf Maturität muß der Mensch aus seiner natürlichen Umwelt herausgeholt und durch einen gesellschaftlichen Uterus gedreht werden, in dem er genügend abgehärtet wird, um ins Alltagsleben hineinzupassen. Diese Funktion erfüllen freie Schulen oft besser als herkömmliche, mit weniger Verführung arbeitende Schulen.

Freie Bildungseinrichtungen haben mit weniger freien Bildungseinrichtungen noch ein weiteres Merkmal gemein. Sie depersonalisieren die Verantwortung für die Erziehung. Sie stellen eine Institution in loco parentis. Sie verewigen die Vorstellung, daß Unterweisung, wenn sie außerhalb der Familie geschieht, durch eine Agentur verrichtet werden soll, für die der einzelne Lehrer nur als Agent handelt. In der verschulten Gesellschaft wird sogar die Familie auf eine «Akkulturationsagentur» reduziert. Erziehungsagenturen, die Lehrer beauftragen, die korporativen Absichten von Schulaufsichtsbehörden zu verwirklichen, sind Instrumente der Depersonalisierung intimerer Beziehungen zwischen Menschen.

Gewiß gibt es viele freie Schulen, die ohne akkreditierte Lehrer funktionieren. Damit stellen sie eine ernste Bedrohung für die etablierten Lehrergewerkschaften dar. Aber sie bedrohen mitnichten die professionelle Struktur der Gesellschaft. Eine Schulbehörde, die nach eigenem Gutdünken Leute einstellt und mit der Durchführung ihrer Erziehungsabsichten beauftragt, auch wenn sie keine professionelle Lizenz, kein Gewerkschaftsbuch oder Diplom vorweisen können, stellt die Legitimität der Lehrprofession nicht in Frage.

Die meisten Lehrer, die an freien Schulen unterrichten, haben keine Gelegenheit, in ihrem eigenen Namen zu lehren. Die korporative Aufgabe der Unterweisung verrichten sie im Namen einer Behörde; die weniger transparente Funktion des Unterrichts im Namen der Schüler; und die eher mystische Funktion der Belehrung im Namen der «Gesellschaft» insgesamt. Der beste Beweis dafür ist, daß die meisten Lehrer an freien Schulen noch mehr Zeit als ihre professionellen Kollegen in Konferenzen und Sitzungen verbringen, wo geplant wird, wie die Schule erziehen soll. Angesichts ihrer offenkundigen Illusionen werden viele gutwillige Lehrer durch die schiere Dauer solcher Sitzungen aus dem öffentlichen Schuldienst in die freie Schule und ein Jahr später auch aus dieser vertrieben.

Alle Bildungseinrichtungen behaupten, daß sie die Menschen für irgend etwas formen wollen, etwa für die Zukunft; aber sie entlassen sie nicht in diese, bevor sie nicht ein hohes Maß an Toleranz gegenüber der Lebensart der Älteren entwickelt haben: es ist eine Erziehung *für* das Leben, statt *im* alltäglichen Leben. Nur wenigen freien Schulen gelingt es, gerade dies zu vermeiden. Gleichwohl gehören sie zu jenen wichtigen Zentren, von denen sich ein neuer Lebensstil ausbreitet.

Die Vermarktung der Ware «Wissen»

Die gefährlichste Gruppe der Bildungsreformer sind jene, die behaupten, man könne Wissen auf einem offenen Markt viel effektiver produzieren und verkaufen als auf einem von der Schule kontrollierten. Diese Leute meinen, daß Kenntnisse leicht von einem Vorbild übernommen werden, falls der Lernende nur wirklich ein Interesse hat, sie zu erwerben; daß individuelle Anrechtstitel besser geeignet wären, eine gleiche Verteilung der Kaufkraft auf dem Bildungssektor herzustellen. Solche Behauptungen erscheinen mir einleuchtend. Doch es wäre ein Irrtum zu glauben, daß die Einführung eines freien Wissensmarktes eine radikale Alternative im Bildungswesen herbeiführen könnte.

Die Einrichtung eines freien Marktes würde tatsächlich beseitigen, was ich oben als heimlichen Lehrplan der gegenwärtigen Schule bezeichnet habe. Ebenso scheint ein freier Markt, wenigstens auf den ersten Blick, dem entgegenzuwirken, was ich die okkulten Prämissen einer verschulten Gesellschaft nannte: das «Immigranten-Syndrom», das institutionelle Lehrmonopol und das Ritual der linearen Initiation. Gleichzeitig aber könnte ein freier Bildungsmarkt dem Alchemisten zahllose unsichtbare Hände liefern, um alle Menschen in die vielfältigen, engen kleinen Nischen einzupassen, die eine immer komplexere Technokratie einrichtet.

Noch offenkundiger ist, daß jene Testbatterien, mit denen heute komplexe Wissenspakete gemessen werden, die fällige Aufhebung der allgemeinen Schulpflicht überleben könnten – und damit der Zwang, der von jedem verlangt, zumindest ein minimales Paket Wissensaktien zu erwerben. Die alchemistische Messung des Wertes, den der einzelne hat, und der alchemistische Traum von der «Erziehbarkeit des Menschen zu voller Menschlichkeit» würden in eins fallen. Unter dem Schein eines «freien Marktes» würde das Weltdorf zu einem uterinalen Milieu umgestaltet, wo Pädagogiktherapeuten die technische Nabelschnur kontrollieren, durch die jeder einzelne gefüttert wird. Heute beschränkt die Schule die Kompetenz des Lehrers noch aufs Klassenzimmer. Sie verwehrt es ihm noch, das ganze Leben des Menschen als seine Domäne zu beanspruchen. Das bevorstehende Ende der Schule wird auch diese Hemmung beseitigen und der lebenslangen pädagogischen Einmischung ins Privatleben aller den Schein von Legitimität verleihen. Dies wäre der Start zu einem allgemeinen Gerangel um «Wissen» auf einem freien Markt, und das Ergebnis wäre die Paradoxie einer vulgären – wenn auch scheinbar egalitären – Meritokratie.

Die Schule ist keineswegs die einzige oder effizienteste unter den Institutionen, die den Anspruch erheben, Information, Verständnis und Wissen in Verhaltensmuster zu übersetzen, die den Schlüssel zu Prestige und Macht darstellen. Auch ist die Schule nicht die erste Institution, die benutzt wurde, um Bildung in solche Rechtstitel zu verwandeln. Das chinesische Mandarinsystem zum Beispiel wirkte jahrhundertelang als stabiler, effektiver Bildungsanreiz im Dienste einer relativ offenen Klasse, deren Privilegien auf dem Erwerb meßbaren Wissens beruhten.

In der Zeit etwa um 2200 v. Chr., so wissen wir, unterzog der Kaiser von China seine Beamten alle drei Jahre einer Prüfung. Nach drei Prüfungen wurden sie entweder befördert oder für immer aus dem Dienst verwiesen. Ein Jahrtausend später, 1115, richtete der erste Chan-Kaiser allgemeine formale Prüfungen für den Staatsdienst ein: in Musik, Bogenschießen, Reitkunst, Schreiben und Arithmetik. Dabei wurden die Kandidaten nicht an abstrakten, von Wissenschaftlern entwickelten Standards gemessen, sondern sie stellten sich alle drei Jahre dem Wettbewerb mit Gleichrangigen. Nur einer von hundert wurde über die Grade «blühender Genius», «verdienter Gelehrter» in die Stufe «Anwärter für den Dienst» befördert. Die Auswahlquote der Prüfungen für diese drei sukzessiven Grade war so gering, daß die Tests selbst nicht besonders exakt zu sein brauchten. Aber es wurde größte Sorgfalt aufgewandt, um Objektivität zu gewährleisten. Bei der Prüfung zum zweiten Grad, wo der schriftliche Aufsatz eine wichtige Rolle spielte, wurde die Arbeit des Kandidaten von einem Sekretär kopiert, und nur die Kopie wurde der Jury vorgelegt, um zu verhindern, daß die Kalligraphie des Autors erkannt wurde und die Richter zu Vorurteilen verleitete.

In China verlieh die Beförderung in einen Gelehrtenrang nicht das Anrecht auf begehrte Ämter, sondern sie berechtigte zur Teilnahme an einer öffentlichen Lotterie, bei der die Ämter unter den lizensierten Mandarinen ausgelost wurden. Solange China nicht gezwungen war, gegen europäische Mächte Krieg zu führen, entstanden dort keine Schulen oder gar Universitäten. Die Prüfung von unabhängig erworbenem, meßbarem Wissen befähigte das chinesische Reich drei Jahrtausende lang – als einzige Nation ohne eigentliches Kirchen- oder Schulsystem –, seine herrschende Elite auszubilden, ohne eine erbliche Aristokratie zu entwickeln. Zugang zu ihr hatten die Kaiserfamilie ebenso wie jene, die die Prüfungen bestanden.

Voltaire und seine Zeitgenossen priesen das chinesische System der Beförderung. In Frankreich wurden 1791 Prüfungen für den öffentlichen Dienst eingeführt, nur um durch Napoleon wieder abgeschafft zu werden. Es wäre eine faszinierende Spekulation, sich einmal vorzustellen, daß das Mandarinsystem gewählt worden wäre, um die Ideale der Französischen Revolution zu propagieren – statt des Schulsystems, das unvermeidlich Nationalismus und militärische Disziplin begünstigt. Kein Wunder, daß Napoleon die politechnische Internatsschule ausbaute. Das jesuitische Modell der rituell gestaffelten Promotion in einer klösterlichen Hierarchie siegte über das Mandarinsystem als bevorzugte Methode, mittels derer die westlichen Gesellschaften ihre Eliten legitimieren.

Der Schulrektor wurde zum Abt in einer weltweiten Kette von Klöstern, in der jedermann emsig das notwendige Wissen akkumuliert, um in einen zunehmend obsolet werdenden Himmel auf Erden einzugehen. Ähnlich wie die Calvinisten die Klöster säkularisierten, nur um ganz Genf zu einem einzigen Kloster zu machen, müssen wir heute befürchten, daß der Abbau der Schulpflicht eine weltweite Wissensfabrik herbeiführen wird. Solange wir nicht unsere Konzepte von Lernen und Wissen verändern, muß die Säkularisation der Schule zur unseligen Hochzeit zwischen dem Mandarinsystem, das zwischen Lernen und Lizensierung trennt, und einer Gesellschaft führen, die sich verpflichtet fühlt, jeden Menschen so lange zu therapieren, bis er reif fürs Goldene Zeitalter ist.

Weder Alchemie noch Magie oder Freimaurerei können die Probleme der gegenwärtigen «Bildungs»krise lösen. Die Entschulung unseres Weltbildes verlangt, daß wir den illegitimen religiösen Charakter des Erziehungsbetriebs selbst erkennen. Die Hybris liegt gerade in dem Versuch, den Menschen durch Unterwerfung unter einen technisch geplanten Prozeß zu einem sozialen Wesen zu machen.

Diejenigen, die sich zum technokratischen Ethos bekennen, halten es für notwendig, das technisch Mögliche auch verfügbar zu machen – zumindest für einige wenige, ob sie dies wollen oder nicht. Entbehrung und Frustration der Mehrheit zählen dabei nicht. Wenn die Kobalt-Therapie möglich ist, dann braucht die Stadt Tegucilpa eben für jedes ihrer beiden Krankenhäuser solch einen Apparat – und zwar um einen Preis, zu dem der größte Teil der Bevölkerung von Honduras von Parasiten befreit werden könnte. Wenn Überschallgeschwindigkeit möglich ist, dann müssen die Reisen einiger weniger auf diese Weise beschleunigt werden. Wenn der Flug zum Mars vorstellbar ist, dann muß eine Begründung gefunden werden, um ihn auch notwendig erscheinen zu lassen. Das technokratische Ethos modernisiert die Armut: nicht nur werden alte Alternativen durch neue Monopole versperrt, sondern der Mangel am Lebensnotwendigen wird verschärft durch die wachsende Kluft zwischen jenen Dienstleistungen, die technologisch möglich sind, und jenen, die tatsächlich der Mehrheit verfügbar sind.

Sobald ein Lehrer dieses technokratische Ethos übernimmt, wird er zum «Erzieher». Er handelt nun, als sei Erziehung ein technologisches Unternehmen, dazu bestimmt, den Menschen in jedwelches Milieu einzupassen, das der wissenschaftliche «Fortschritt» schaffen mag. Er scheint nun blind für das evidente Faktum, daß die ständige Obsoleszenz aller Waren teuer zu stehen kommt: in Form steigender Kosten für die Schulung der Menschen als Konsumenten dieser Waren. Er scheint nun zu vergessen, daß die steigenden Kosten der Produktionswerkzeuge gerade im Bildungswesen einen hohen Preis fordern: sie verringern die Arbeitsintensität der Wirtschaft und machen das Lernen am Arbeitsplatz unmöglich – oder bestenfalls zum Privileg für wenige. Überall auf der Welt steigen die Kosten der Erziehung des Menschen für diese Gesellschaft schneller als die Produktivität der gesamten Wirtschaft, und immer weniger Menschen haben das Gefühl einer intelligenten Teilnahme am gemeinsamen Ganzen.

Die Schule als ein Werkzeug des technokratischen Fortschritts

Die Erziehung für eine Konsumgesellschaft ist gleichbedeutend mit Konsumentenschulung. Eine Gesellschaft, in der Technokratien stets aufs neue menschliches Glück als Konsum ihrer neuesten Produkte definieren, ist zu ihrem Überleben auf Erziehungsinstitutionen (von der Schule bis zur Reklame) abhängig, die Erziehung in soziale Kontrolle übersetzen.

In reichen Ländern wie den USA, Kanada oder der UdSSR machen riesige, in die Verschulung gesteckte Investitionen die institutionellen Widersprüche des technokratischen Fortschritts ganz evident. Die ideologische Rechtfertigung grenzenlosen Fortschritts beruht in diesen Ländern auf der Behauptung, die egalisierenden Effekte einer endlosen Schulung könnten den antiegalitären Kräften dauernder Obsoleszenz entgegenwirken. Ja, die Legitimität der Industriegesellschaft selbst beruht inzwischen auf der Glaubwürdigkeit ihrer Schule, ganz egal ob die Grand Old Party [= Republikaner in den USA; d. Ü.] oder die Kommunistische Partei an der Macht ist. Unter diesen Bedingungen nimmt die Öffentlichkeit Publikationen wie Charles Silbermans Bericht für die Carnegie Commission ‹Crisis in the Classroom› begierig auf. Solche Forschungen flößen gerade durch ihre wohldokumentierte Verurteilung der heutigen Schule ein Vertrauen ein, das angesichts der unbedeutenden Versuche, das System durch die kosmetische Operation seiner offenkundigen Mängel zu kurieren, eine neue Welle vergeblicher Erwartungen nähren kann.

Weitere Investitionen in die Schule steigern nur das Scheitern der Schule ins Monumentale. Paradoxerweise sind die Armen die ersten Opfer zusätzlicher Schulung. Die Wright Commission in Ontario mußte ihrem staatlichen Auftraggeber berichten, daß die tertiären Bildungsinstitutionen unvermeidlich den Armen überproportionale Lasten für eine Bildung aufbürden, in deren Genuß immer hauptsächlich die Reichen kommen werden.

Die Erfahrung bestätigt solche Warnungen. Jahrzehntelang bevorzugte ein Quotensystem in der UdSSR die Söhne von Arbeitern gegenüber Akademikersöhnen bei der Zulassung zur Universität. Trotzdem sind letztere in den Seminaren der russischen Hochschulen weit stärker überrepräsentiert als etwa in den USA.

Am 8. März 1971 verkündete Chief Justice Warren E. Burger das einstimmige Urteil seiner Kammer im Fall Griggs et al. ./. Duke Power Company. Burger und seine Richterkollegen interpretierten die Absichten, die der US-Kongreß in die Passage über Chancengleichheit der Civil Rights Act von 1964 eingeschrieben hatte, in dem Sinn, daß jegliche Benotung und jeder Test, dem zukünftige Arbeitnehmer unterzogen werden, die «Eignung des Mannes für die Arbeit» und nicht den «Mann in abstracto» messen müsse. Die Beweislast, daß Bildungsvoraussetzungen ein «vernünftiger Maßstab für Aufgabenerfüllung» sind, liege beim Arbeitgeber. Mit dieser Entscheidung ächtete das Gericht lediglich Tests und Diplome als Mittel rassischer Diskriminierung, doch die in der Argumentation des Chief Justice enthaltene Logik läßt sich auf jede Form von «Bildungs-stammbaum» als Voraussetzung für eine Anstellung übertragen. Jetzt müssen sich die von Ivar Berg («*The great Training Robbery*») so wirksam bloßgestellten Bildungskartelle auf die neue Heraus-forderung einer Allianz von Schülern, Arbeitgebern und Steuer-zahlern gefaßt machen.

In armen Ländern muß die Schule den ökonomischen Rück-stand einer ganzen Nation rationalisieren. Die Mehrheit der Bürger ist von den knappen modernen Produktions- und Kon-sumtionsmitteln ausgeschlossen, drängt sich aber vor den Pfor-ten der Schule, um Einlaß in die Wirtschaft zu erhalten. Die hierarchische Privilegien- und Machtverteilung wird nicht mehr durch Abstammung, erblichen Adel, die Gunst eines Königs oder Papstes, die eigene Rücksichtslosigkeit auf dem Markt oder auf dem Schlachtfeld legitimiert, sondern durch die subtileren Formen des Kapitalismus: nämlich die hierarchische, aber libe-rale Institution der Pflichtschule, die es den Nutznießern einer guten Bildung gestattet, dem rückständigen Wissenskonsumen-ten selbst die Schuld daran zu geben, daß er ein Zertifikat von geringerem Nennwert besitzt. Solche Rationalisierung der Un-gleichheit vermag aber niemals die Tatsachen zu übertünchen, und populistischen Regimen fällt es immer schwerer, den Kon-flikt zwischen ihrer Ideologie und der Realität zu verbergen.

Zehn Jahre lang investierte Castros Kuba ungeheure Energien in ein rasch wachsendes öffentliches Erziehungswesen, wobei es auf die verfügbaren menschlichen Ressourcen zurückgriff, ohne den üblichen professionellen Beglaubigungen Tribut zu zollen. Die anfangs spektakulären Erfolge dieser Kampagne, vor allem der Rückgang des Analphabetismus, wurden oft als Beweis für die Behauptung angeführt, daß die langsame Wachstumsrate anderer lateinamerikanischer Schulsysteme durch Korruption, Militarismus und eine kapitalistische Marktwirtschaft verschul-det seien. Inzwischen aber wird Fidel mit seinem Versuch, den «neuen Menschen» heranzuschulen, von der Logik der hierar-chischen Schulung eingeholt. Selbst wenn die Studenten das halbe Jahr auf den Zuckerrohrfeldern verbringen und sich rück-haltlos zu den egalitären Idealen des Compañero Fidel beken-nen, züchtet die Schule jedes Jahr eine neue Ernte selbstbewuß-ter Wissenskonsumenten heran, die nach immer höheren Konsumgraden greifen. Die lizensierten Absolventen, die die neuen Jobs ergattern, zerstören durch ihren Konservativismus die Leistungen jener nicht lizensierten Kader, die ihre Positionen durch Weiterbildung am Arbeitsplatz errangen. Es genügt nicht, einfach die Lehrer für die Versäumnisse einer revolutionären Regierung verantwortlich zu machen, die darauf beharrt, die institutionelle Kapitalisierung menschlicher Ressourcen durch einen heimlichen Lehrplan zu erreichen, der eine universelle Bourgeoisie hervorzubringen garantiert.

Für die Selbstbestimmung von Lehren und Lernen

Eine Revolution gegen jene Formen von Privileg und Macht, die auf dem Rechtstitel professionellen Wissens beruhen, muß von einer gewandelten Auffassung vom Wesen des Lernens ausgehen. Dies bedeutet vor allem, daß die Verantwortung für Lehren und Lernen in andere Hände übergeht. Wissen läßt sich nur als Ware definieren, solange es als Resultat eines institutionellen Unternehmens oder als Erfüllung institutioneller Ziele begriffen wird. Nur wenn der einzelne das Gefühl seiner persönlichen Verantwortung für das, was er lernt und lehrt, wiedergewinnt, kann dieser Bann gebrochen und die Entfremdung des Lernens vom Leben überwunden werden.

Das Wiedererlangen der Vollmacht über Lehre und Lernen bedeutet, daß der Lehrer, der das Risiko auf sich nimmt, in die Privatsphäre eines anderen einzugreifen, auch die Verantwortung für die Folgen übernehmen muß. Ebenso muß der Schüler, der sich dem Einfluß eines Lehrers aussetzt, die Verantwortung für seine eigene Ausbildung übernehmen. Um solchen Zwecken zu genügen, müßten Bildungsinstitutionen – wenn überhaupt nötig – die Form von Einrichtungen annehmen, wo dem Interessenten ein Dach über dem Kopf und Zugang zu einem Klavier, einem Keramikbrennofen, zu Schallplatten, Büchern oder Dias geboten wird. Schulen, Fernsehstationen, Theater und dergleichen werden hauptsächlich für die Nutzung durch professionelle Experten geplant. Die Entschulung der Gesellschaft bedeutet aber vor allem, daß dem zweitältesten Gewerbe der Welt, dem Lehrerberuf, sein professioneller Expertenstatus entzogen wird.

Die Lizensierung der Lehrer stellt heute eine übermäßige Einschränkung des Rechts auf freie Rede dar; die korporative Struktur und professionelle Überheblichkeit des Journalismus bedingen eine untragbare Beschränkung des Rechts der Pressefreiheit; der gesetzliche *Zwang* zum Schulbesuch schränkt die Versammlungs*freiheit* ein. Die Entschulung der Gesellschaft wäre nichts Geringeres als ein Kulturwandel, durch den ein Volk sich den effektiven Gebrauch seiner Verfassungsfreiheiten wieder aneignet: vor allem der Freiheit, zu lernen und zu lehren – von Menschen, die wissen, daß sie frei geboren sind und keiner Therapie zur Nutzung dieser Freiheit bedürfen. Die meisten Menschen lernen dann am meisten, wenn sie tun, was ihnen Freude macht; die meisten Menschen sind neugierig und bestrebt, in allen ihren Erfahrungen einen Sinn zu erkennen; und die meisten Menschen sind fähig zu persönlichem, direktem Verkehr mit anderen, solange sie nicht durch eine inhumane Arbeit abgestumpft oder durch Verschulung verblödet sind.

Die Tatsache, daß der Mensch in den reichen Ländern aus eigener Initiative nichts lernt, beweist nicht das Gegenteil. Vielmehr ist sie eine Folge des Lebens in einer Umwelt, von der er – paradoxerweise – nicht viel lernen kann, gerade weil sie so stark programmiert ist. Der Mensch wird dauernd frustriert durch die Struktur der modernen Gesellschaft, in der jene Tatsachen, auf die er seine Entscheidungen gründen könnte, sich immer mehr seinem Zugriff entziehen. Er lebt in einer Umwelt, wo Werkzeuge, die sich kreativ gebrauchen lassen, Luxus sind; in einem Milieu, wo die Kommunikationskanäle nur dazu dienen, die wenigen zu den vielen sprechen zu lassen.

Für eine gebrauchswertorientierte Technologie

Ein moderner Mythos will uns glauben machen, daß das Ohnmachtsgefühl, mit dem die meisten Menschen heute leben, die Folge einer Technologie sei, die zwangsläufig gewaltige Systeme schaffe. Aber es ist nicht die Technologie, die die Systeme gewaltig aufbläht, die Werkzeuge mit immensen Kräften ausstattet, die Kommunikationskanäle zu Einbahnstraßen macht. Ganz im Gegenteil: richtig kontrolliert, könnte die Technologie jedem

Menschen zur Fähigkeit verhelfen, seine Umwelt besser zu verstehen und sie mit eigenen Händen und aus eigener Kraft zu gestalten und ihm ein nie zuvor gekanntes Maß an wechselseitiger Kommunikation ermöglichen. Solche alternative Nutzung der Technologie wäre die fundamentale Alternative im Bildungswesen.

Wenn der Mensch heranwächst, dann braucht er in erster Linie Zugang zu Dingen, Orten, Prozessen, Ereignissen und Informationen. Er will all das sehen, anfassen, verändern und begreifen, was in einer sinnvollen Situation verfügbar ist. Diese Verfügung wird ihm heute weitgehend verwehrt. Als das Wissen eine Ware wurde, erlangte es auch den gesetzlich geschützten Status des Privateigentums. In der Schule behält der Lehrer sein Wissen für sich, soweit es nicht in den täglichen Stundenplan paßt. Die Medien informieren uns, aber sie unterschlagen jene Dinge, die sie nicht als druckreif erachten. Die Informationen werden in Spezialsprachen verschlüsselt, und spezialisierte Lehrer leben davon, diese zurückzuübersetzen. Verbände sitzen auf geschützten Patenten, Bürokratien hüten ihre Geheimnisse und Berufsvereinigungen, Institutionen und Nationen wahren eifersüchtig ihre Macht, andere von privaten Reservaten fernzuhalten – seien es Cockpits, Anwaltskanzleien, Müllhalden oder Kliniken. Weder die politischen noch die professionellen Strukturen unserer Gesellschaften – ob Osten oder Westen – könnten ohne diese Macht überleben, ganze Menschenklassen von den Fakten, die ihnen dienen könnten auszuschließen. Der Zugang zu den Fakten, wie ich ihn befürworte, geht weit über eine wahrheitsgemäße Bezeichnung und Benennung hinaus. Dieser Zugang muß in die Realität selbst eingebaut werden – während wir uns damit begnügen, von der Reklame lediglich die Garantie zu verlangen, daß sie nicht lügt. Der Zugang zur Realität ist eine fundamentale Bildungsalternative zu einem System, das sich anmaßt, lediglich *über* die Realität zu belehren.

Die Abschaffung des Rechts auf korporative Geheimhaltung – selbst wenn die Experten meinen, daß solche Geheimhaltung dem allgemeinen Wohl diene – ist, wie jetzt klar sein sollte, ein weit radikaleres politisches Ziel als die traditionelle Forderung nach öffentlichem Eigentum oder öffentlicher Kontrolle über die Produktionswerkzeuge. Die Sozialisierung der Werkzeuge ohne wirkliche Sozialisierung des Know-how versetzt den Wissenskapitalisten in eine Position, wie früher der Finanzier sie innehatte. Der Machtanspruch des Technokraten liegt lediglich in seinem Besitz an irgendwelchem knappen Geheimwissen, und das beste Mittel, dessen Wert zu erhalten, ist eine große, kapitalintensive Organisation, die den Zugang zu solchem Know-how abschreckt und verbietet.

Wer mit Interesse lernt, braucht nicht lange, um sich beinah jede Fertigkeit anzueignen, die er erlernen will. Dies vergessen wir meist in einer Gesellschaft, wo professionelle Lehrer den Zugang zu allen Wissensgebieten monopolisieren und dadurch die Unterweisung durch unlizensierte Individuen als Scharlatanerie abstempeln. In Industrie oder Forschung gibt es nur wenige mechanische Fertigkeiten, die so anstrengend, komplex und gefährlich sind wie das Autofahren – eine Fertigkeit, die jeder rasch von einem Freund erlernen kann. Nicht alle Menschen haben Talent für höhere Logik, aber die es haben, machen rasche Fortschritte, wenn sie in frühem Alter durch mathematische Spiele angeregt werden. Jedes zwanzigste Kind in Guernavaca kann mich nach ein paar Wochen Training beim «Mastermind» schlagen. Binnen vier Monaten lernen alle Erwachsenen, bis auf ein paar Prozent, in unserem CIDOC-Zentrum gut genug Spanisch, um in der neuen Sprache wissenschaftlichen Verhandlungen zu folgen.

Ein erster Schritt, um allen den Zugang zu Kenntnissen und Fertigkeiten zu eröffnen, bestünde darin, die Befähigten durch verschiedene Anreize zu motivieren, den anderen die Kenntnisse mitzuteilen. Dies würde unvermeidlich gegen die Interessen von Zünften, Berufsständen und Gewerkschaften verstoßen. Aber die Vielfachlehre ist attraktiv. Sie gibt jedem die Chance, von fast allem etwas zu lernen. Es gibt keinen Grund, warum jemand nicht die Fähigkeiten, ein Auto zu fahren, ein Telefon oder ein Klo zu reparieren, als Hebamme Geburtshilfe zu leisten und als technischer Zeichner zu arbeiten, in sich vereinigen sollte. Spezielle Interessengruppen und ihre disziplinierten Konsumenten würden natürlich gleich behaupten, daß die Öffentlichkeit durch professionelle Garantien geschützt werden müsse. Aber dieses Argument wird schon heute durch Konsumentenschutzvereine ständig in Frage gestellt. Ernster ist da schon der Einwand zu nehmen, den Ökonomen gegen eine radikale Sozialisierung der Kenntnisse und Fertigkeiten erheben: nämlich daß der Fortschritt gehemmt würde, wenn Wissen, Patente, Qualifikationen und dergleichen demokratisiert würden. Ihre Argumente können wir nur widerlegen, indem wir auf die steigende Wachstumsrate der vergeblichen Verschwendung verweisen, die das bestehende Erziehungssystem produziert.

Das Vorhandensein von Menschen, die bereit sind, ihre Kenntnisse mitzuteilen, ist noch keine Garantie für das freie Lernen aller. Der Zugang zu ihnen wird nicht nur durch das Monopol der Bildungspläne und Berufsverbände, sondern auch durch eine Technologie der Knappheit beschränkt. Die Fähigkeiten, die heute zählen, sind das Know-how im Umgang mit Werkzeugen, deren Knappheit geplant ist. Diese Werkzeuge produzieren Güter oder schaffen Dienstleistungen, die jeder begehrt, die aber nur wenige sich leisten können und die nur eine begrenzte Anzahl zu nutzen wissen. Nur ein paar Privilegierte unter der Gesamtzahl derer, die an einer bestimmten Krankheit leiden, kommen je in den Genuß der Produkte einer hochkomplexen Medizintechnik, und noch weniger Ärzte erlangen die Fähigkeit, diese zu benutzen.

Die gleichen Ergebnisse medizinischer Forschung wurden hingegen auch verwendet, um eine medizinische Grundausstattung zu entwickeln, mit der Heeres- und Marinesanitäter nach wenigen Monaten Ausbildung in der Lage waren, unter Kampfbedingungen Resultate zu erzielen, die im Zweiten Weltkrieg für voll ausgebildete Ärzte unvorstellbar waren. In noch einfacherem Rahmen könnte jedes Bauernmädchen lernen, die meisten Infektionskrankheiten zu diagnostizieren und auch zu behandeln, falls die Medizinwissenschaft bereit wäre, für spezifische geographische Regionen entsprechende Dosierungen und Instruktionen zu entwickeln.

Alle diese Beispiele illustrieren die Tatsache, daß schon Bildungsgesichtspunkte allein genügen, um einen radikalen Abbau der professionellen Struktur zu fordern, die heute ein Verhältnis der Gegenseitigkeit zwischen dem Wissenschaftler und der Mehrheit derer, die Zugang zur Wissenschaft wünschen, verhindert. Würde diese Forderung erfüllt, dann könnten alle Menschen lernen, die durch die heutige Wissenschaft effektiver und dauerhafter gemachten Werkzeuge von gestern zu gebrauchen, um die Welt von morgen zu schaffen.

Traurigerweise herrscht heute genau der gegenteilige Zustand. Ich kenne eine Küstenregion in Südamerika, wo die meisten Menschen vom Fischfang leben, den sie mit kleinen Booten betreiben. Der Außenbordmotor ist nun gewiß das Werkzeug, das das Leben dieser Küstenfischer am nachhaltigsten beeinflußt hat. Bei genauerer Untersuchung fand ich aber, daß die Hälfte aller zwischen 1945 und 1950 gekauften Außenbordmotoren durch dauernde Bastelei immer noch in Gang gehalten werden, während die Hälfte der 1965 gekauften Motoren nicht mehr laufen, weil sie so gebaut sind, daß man sie nicht reparieren kann. Der technologische Fortschritt beliefert die meisten mit technischen Spielereien, die sie sich nicht leisten können, und entzieht ihnen die einfacheren Werkzeuge, die sie brauchen würden.

Die beim Hausbau verwendeten Metalle, Kunststoffe und der Stahlbeton wurden seit den vierziger Jahren erheblich verbessert und sollten heute mehr Menschen die Möglichkeit geben, sich selbst ihr Haus zu bauen. Doch während in den USA noch 1948 mehr als 30 Prozent aller Einfamilienhäuser vom Besitzer selbst erbaut waren, fiel Ende der sechziger Jahre der Anteil derer, die als ihr eigener Baumeister tätig wurden, auf weniger als 20 Prozent.

Noch sichtbarer wird der durch die sogenannte ökonomische Entwicklung bedingte Verfall von Kenntnissen und Fertigkeiten in Lateinamerika. Hier bauen die meisten Menschen noch immer ihr eigenes Haus, von den Grundmauern bis zum Dach. Dabei verwenden sie meist landesübliche Materialien wie Lehm und Schilf in Form von Luftziegeln und Flechtwerk, die in dem feuchten, heißen und windigen Klima von unübertroffenem praktischem Wert sind. In anderen Gegenden bauen sie sich ihre Behausungen aus Teerpappe, Ölfässern und anderen industriellen Abfällen. Statt den Leuten einfache Werkzeuge und durchstandardisierte, dauerhafte und leicht reparierbare Bauelemente an die Hand zu geben, sind alle Regierungen in die Massenproduktion von Billigbauten eingestiegen. Nun ist klar, daß kein einziges dieser Länder es sich leisten kann, die Mehrheit seiner Menschen mit zufriedenstellenden modernen Wohneinheiten zu versorgen. Und doch macht die Politik es den Menschen überall zunehmend schwerer, sich Wissen und Kenntnisse anzueignen, die sie bräuchten, um sich bessere Häuser zu bauen.

Selbstbegrenzung

Bildungserwägungen gestatten uns, ein zweites fundamentales Merkmal zu formulieren, das eine postindustrielle Gesellschaft aufweisen muß: nämlich eine Grundausstattung von Werkzeugen, die sich schon durch ihre bloße Beschaffenheit technokratischer Kontrolle entziehen. Nicht nur ökonomische, sondern erst recht Bildungsgesichtspunkte verlangen, daß wir auf eine Gesellschaft hinarbeiten, in der naturwissenschaftliche Erkenntnisse in Werkzeuge und Werkstoffe eingebaut werden, die sinnvoll in so kleinen Einheiten benutzt werden können, daß sie für alle verfügbar sind. Nur solche Werkzeuge können den Zugang zu Kenntnissen und Fertigkeiten sozialisieren. Nur solche Werkzeuge ermöglichen den zeitweiligen Zusammenschluß von Menschen, die sie zu spezifischen Anlässen gebrauchen wollen. Nur solche Werkzeuge erlauben es, daß im Prozeß ihres Gebrauchs neue spezifische Zwecke sich ergeben, wie jeder Bastler weiß. Nur das Zusammenwirken von garantiertem Zugang zu den Fakten und Werkzeugen von begrenzter Kraft ermöglicht es, eine Subsistenzwirtschaft ins Auge zu fassen, die auch fähig wäre, die Früchte der modernen Wissenschaft aufzunehmen.

Die Einführung einer solchen wissenschaftlichen Subsistenzwirtschaft wäre fraglos von Vorteil für die überwältigende Mehrheit der Menschen in den armen Ländern. Auch ist sie die einzige Alternative zur progressiven Umweltzerstörung, Ausbeutung und Abstumpfung in den reichen Ländern. Aber wie wir sahen, ist die Entmachtung des Bruttosozialprodukts als Fortschrittsindex nicht zu erreichen ohne den gleichzeitigen Abbau der Bruttosozialbildung – für gewöhnlich aufgefaßt als Akkumulation menschlichen Kapitals. Eine egalitäre Wirtschaft kann nicht innerhalb einer Gesellschaft bestehen, in der das Recht auf Produktivität durch die Schule verliehen wird.

Die Machbarkeit einer modernen Subsistenzökonomie ist

nicht von neuen wissenschaftlichen Erfindungen abhängig. Sie beruht vielmehr auf der Fähigkeit einer Gesellschaft, sich auf fundamentale, selbstgewählte, antibürokratische und antitechnokratische Beschränkungen zu einigen.

Diese Beschränkungen können mancherlei Formen annehmen, aber sie alle werden unwirksam bleiben, solange sie nicht fundamentale Dimensionen des Lebens berühren. (Die Entscheidung des amerikanischen Kongresses gegen die Entwicklung des Überschall-Linienflugzeugs ist einer der hoffnungsvollsten Schritte in die richtige Richtung.) Die Substanz dieser freiwilligen sozialen Beschränkungen wären sehr einfache Dinge, die von jedem vernünftigen Menschen voll verstanden und beurteilt werden können. Ein gutes Beispiel dafür sind die Fragen, um die es bei der Kontroverse über den Überschall-Linienverkehr ging. All diese Beschränkungen wären freiwillig zu wählen, um eine stabile und egalitäre Nutzung wissenschaftlichen Know-hows zu fördern. Die Franzosen sagen, es dauert tausend Jahre, den Bauern zu lehren, wie man mit einer Kuh umgeht. Es würde keine zwei Generationen dauern, alle Menschen in Lateinamerika oder Afrika anzuleiten, ihre Außenbordmotoren, einfache Autos, Pumpen, medizinische Grundausstattungen und Betonmischer benutzen und reparieren zu können – falls deren technischer Plan sich nicht alle paar Jahre ändern würde. Und nachdem freudiges Leben ein Leben dauernder sinnvoller Interaktion mit anderen in einer sinnvollen Umwelt ist, würde gleicher Genuß der materiellen Möglichkeiten sich in gleiche Bildung umsetzen.

Gegenwärtig ist ein Konsensus über Selbstbegrenzung schwer vorstellbar. Die geläufigen Begründungen für die Ohnmacht der Mehrheit verweisen auf die Existenz politischer und ökonomischer Klassen. Dabei wird für gewöhnlich übersehen, daß die neue Klassenstruktur einer verschulten Gesellschaft in noch stärkerem Maße durch begründete Interessen beherrscht ist. Zweifellos erzeugt eine imperialistische, kapitalistische Organisation der Gesellschaft jene Sozialstruktur, die einer Minderheit disproportionalen Einfluß auf die tatsächliche Meinung der Mehrheit einräumt. Aber in einer technokratischen Gesellschaft kann die Macht einer Minderheit von Wissenskapitalisten verhindern, daß sich durch die Kontrolle der Mehrheit über das wissenschaftliche Know-how und die Kommunikationsmedien eine echte öffentliche Meinung herstellt. Die garantierten Verfassungsrechte der Redefreiheit, Pressefreiheit und Versammlungsfreiheit sollten die Souveränität des Volkes gewährleisten. Die moderne Elektronik, der Foto-Offsetdruck, die jedem zugänglichen Mietcomputer und das Telefon könnten theoretisch die «Hardware» sein, die diesen Freiheitsrechten völlig neue Bedeutung geben könnte. Leider ist es aber so, daß diese Dinge von den modernen Medien eingesetzt werden, um die Macht der Wissens-Bankiers zu vermehren, die immer mehr Menschen über internationale Kommunikationskanäle mit abgepackten Programmeinheiten versorgen – statt daß diese Anlagen benutzt würden, um echte Kommunikationsnetze einzurichten, die der Begegnung unter den Mitgliedern der Mehrheit eine gerechte Chance böten.

Die Entschulung der Kultur und der Gesellschaftsstruktur verlangt einen solchen Einsatz der Technologie, der eine partizipatorische Politik ermöglicht. Nur auf Grund einer Mehrheitskoalition können der Geheimhaltung und der zunehmenden Armut Grenzen gezogen werden – ohne auf die Machtmittel einer Diktatur zurückzugreifen. Was wir brauchen, das ist eine Umwelt, in der ein klassenloses Heranwachsen des Menschen möglich wäre; oder wir werden in einer schönen neuen Welt leben, in der Big Brother uns alle erzieht.

Anmerkungen

1 Nach Erscheinen dieses Aufsatzes in Frankreich haben Jean Pierre Dupuy und François Gerin, Mitarbeiter am Forschungsinstitut Centre de Recherche sur le Bien-être (CEREBE), diese Hypothese überprüft:

«Eine sehr aufschlußreiche Methode, um die Kosten der am Automobil vorgenommenen Neuerungen mit den Leistungssteigerungen in Form von gewonnener Zeit und Mobilität, die sich alles in allem daraus ergeben, in Beziehung zu setzen, ist die Berechnung jenes Werts, den man als ‹generalisierte Geschwindigkeit› des Automobils bezeichnen könnte, und zwar für verschiedene Modelle, in der Reihenfolge zunehmender Leistung. Wir gehen dabei aus von einem Ansatz, den Ivan Illich in seinem Buch ‹Die sogenannte Energiekrise› (rororo aktuell 1763) vorgetragen hat. Wir haben seine Überlegungen durchgerechnet. Das Prinzip dieser Berechnung ist einfach. Wir schätzen alle mit dem Besitz und Gebrauch eines Autos verbundenen jährlichen Ausgaben: Abschreibung der Kosten für den Erwerb des Führerscheins; Abschreibung des Kaufpreises für den Wagen; jährlich zahlbare Festkosten: Kfz-Steuer, Versicherung, Garage; laufende Betriebskosten: Treibstoff, Öl, Reifen, Abschmieren/Ölwechsel, periodische Inspektionen, normale oder unfallbedingte Reparaturen, Park- und Autobahngebühren, Geldbußen, Kauf von verschiedenem Zubehör. Diese Ausgaben werden, indem wir sie durch den Stundenlohn dividieren, in Zeit umgerechnet: Dieser Zeitbetrag ist also die Zeit, die jemand arbeiten muß, um sich die für den Erwerb und Unterhalt seines Autos notwendigen Mittel zu beschaffen. Dazu addieren wir die tatsächlich für die Fortbewegung aufgewandte Zeit. Letztere wird geschätzt auf Grund einer jährlichen Kilometerzahl, wobei diese auf verschiedene Arten des Autofahrens – Fahrt zwischen Wohnung und Arbeitsplatz, Dienstreisen, Ferienreisen, Privatreisen, Freizeit – verteilt wird; auf Grund einer Korrelation dieser Verteilung mit einer Verteilung nach Geschwindigkeitsstufen – Geschwindigkeit auf Fernstrecken, Geschwindigkeit im Stadtverkehr zu Stoßzeiten und in verkehrsarmen Stunden, je nach Besiedlungsform –

und schließlich auf Grund einer Schätzung dieser Geschwindigkeiten. Sodann addieren wir noch den übrigen, mit dem Betrieb des Kraftwagens verbundenen Zeitaufwand hinzu: die mit der persönlichen Wartung verbundene Zeit, die in Verkehrsstockungen verlorene Zeit, die mit dem Kauf von Treibstoff und diversem Zubehör verbrachte Zeit, die in Krankheit zugebrachte Zeit, die bei durch Unfälle verlorene Zeit usw. Die so ermittelte Gesamtzeit, die wir mit der jährlichen Kilometerzahl in Beziehung setzen, erlaubt den Schluß auf die gesuchte verallgemeinerte Geschwindigkeit.

Die untenstehende Tabelle zeigt die Ergebnisse für typische Situationen, die durch die soziale Kategorie Schicht/Beruf (S/B), den Fahrzeugtyp und den Wohnsitz charakterisiert sind. Es werden auch die Leistungen des Fahrrads aufgeführt, berechnet nach dem gleichen Prinzip.

S/B \ Typ	Verallgemeinerte Geschwindigkeit in km/h			
	Fahrrad	Citroën 2 CV	Simca	Citroën DS 21
Leit. Angest. Paris	14	14	14	12
Angest. mittl. Stadt	13	12	10	8
Facharb. mittl. Stadt	13	10	8	6
Landwirtsch. Arbeitskraft Landgemeinde	12	8	6	4

Die Daten beziehen sich auf das Jahr 1967, also auf eine Zeit vor den jüngsten Steigerungen des Benzinpreises und ohne Geschwindigkeitsbegrenzung.

Wir stellen fest, daß für jeden angegebenen Fahrzeugtyp die verallgemeinerte Geschwindigkeit zunimmt, je höher wir in der sozialen Pyramide steigen. Dafür gibt es zwei Gründe: die Zunahme der jährlich zurückgelegten Kilometer, welche das Gewicht der festen Kosten pro Kilometer verringert, und vor allem das steigende Einkommen, welches die für die Beschaffung der jeweils erforderlichen Mittel notwendige Arbeitszeit verkürzt. Übrigens ist das hinsichtlich der allgemeinen Geschwindigkeit schnellste Fahrzeug, gleichgültig welche soziale Gruppe wir betrachten, immer das in der Skala am niedrigsten stehende, und dieses wiederum wird vom Fahrrad systematisch distanziert – mit Ausnahme der privilegiertesten Gruppe, wo eine Gleichwertigkeit der Fahrzeugtypen sichtbar wird.»

Aus: *Jean Pierre Dupuy/François Gerin, Produktveraltung – Auto und Medikament. In: Technologie und Politik 1, Reinbek 1975, S. 166ff.*